La collection *Théories et pratiques dans l'enseignement* est dirigée par Gilles Fortier et Clémence Préfontaine

La collection regroupe des ouvrages qui proposent des analyses sur des aspects théoriques et pratiques de l'enseignement, sans restriction quant à la matière enseignée. La collection veut refléter la réalité scolaire et ses aspects didactiques.

Ouvrages parus dans la collection

L'ABANDON SCOLAIRE
par Louise Langevin

L'AFFECTIVITÉ ET LA MÉTACOGNITION DANS LA CLASSE
par Louise Lafortune et Lise St-Pierre

AIDES INFORMATISÉES À L'ÉCRITURE
par Christophe Hopper et Christian Vandendorpe

L'ALPHABÉTISATION
par Hélène Poissant

ANALPHABÈTE OU ALLOGRAPHE?
par Hélène Blais

APPRENDRE DANS DES ENVIRONNEMENTS PÉDAGOGIQUES INFORMATISÉS
sous la direction de Pierre Bordeleau

À QUAND L'ENSEIGNEMENT?
par Godelieve De Koninck

LA COOPÉRATION DANS LA CLASSE
sous la direction de Marie-France Daniel et Michael Schleifer

LE CORPS ENSEIGNANT DU QUÉBEC DE 1845 À 1992
par M'hammed Mellouki et François Melançon

DES ENFANTS QUI PHILOSOPHENT
par Pierre Laurendeau

DES OUTILS POUR APPRENDRE AVEC L'ORDINATEUR
sous la direction de Pierre Bordeleau

L'ÉDUCATION ET LES MUSÉES
sous la direction de Bernard Lefebvre

L'ÉDUCATION INTÉGRÉE À LA COMMUNAUTÉ
par Lise Saint-Laurent

L'ENSEIGNANT ET LA GESTION DE LA CLASSE
par Thérèse Nault

ENSEIGNER LE FRANÇAIS
sous la direction de Clémence Préfontaine et Gilles Fortier

ÉVALUER LE SAVOIR-LIRE
sous la direction de Jean-Yves Boyer, Jean-Paul Dionne et Patricia Raymond

L'ÉVEIL À L'APPRENTISSAGE DU FRANÇAIS
par Aline Desrochers Brazeau

LES FABLES INFORMATIQUES
par Francis Meynard

FAIRE DU THÉÂTRE DÈS 5 ANS
par Hélène Gauthier

LA FAMILLE ET L'ÉDUCATION DU JEUNE ENFANT
sous la direction de Bernard Terrisse et Gérald Boutin

LA FORMATION DU JUGEMENT
sous la direction de Michael Schleifer

LA FORMATION FONDAMENTALE
sous la direction de Christiane Gohier

LA GESTION DISCIPLINAIRE DE LA CLASSE
par Jean-Pierre Legault

L'INTELLIGENCE DU PETIT ROBERT
par Christel Veyrat

J'APPRENDS À LIRE... AIDEZ-MOI!
par Jacqueline Thériault

LE JEU ÉDUCATIF
par Nicole De Grandmont

LE JEU LUDIQUE
par Nicole De Grandmont

LE JEU PÉDAGOGIQUE
par Nicole De Grandmont

JEUNES DÉLINQUANTS, JEUNES VIOLENTS
par Serge Michalski et Louise Paradis

LA LECTURE ET L'ÉCRITURE
sous la direction de Clémence Préfontaine et Monique Lebrun

LECTURES PLURIELLES
sous la direction de Norma Lopez-Therrien

LIBERTÉ SANS LIMITES
par Serge Michalski et Louise Paradis

suite à la page 4

LES TECHNOLOGIES ET L'ENSEIGNEMENT DES LANGUES

La collection *Théories et pratiques dans l'enseignement*

(suite)

MATÉRIAUX FRAGMENTAIRES POUR UNE HISTOIRE DE L'UQAM
par Claude Corbo

LES MODÈLES DE CHANGEMENT PLANIFIÉ EN ÉDUCATION
par Lorraine Savoie-Zajc

LE PLAISIR DE QUESTIONNER EN CLASSE DE FRANÇAIS
par Godelieve De Koninck

OMÉGA ET LA COMMUNICATION
par Serge Michalski et Louise Paradis

OMÉGA ET LES PROBLÈMES DE COMMUNICATION
par Serge Michalski et Louise Paradis

ORDINATEUR, ENSEIGNEMENT ET APPRENTISSAGE
sous la direction de Gilles Fortier

PÉDAGOGIE DU JEU
par Nicole De Grandmont

LA PENSÉE ET LES ÉMOTIONS EN MATHÉMATIQUES
par Louise Lafortune et Lise Saint-Pierre

LA PHILOSOPHIE ET LES ENFANTS
par Marie-France Daniel

LA PLANÈTE D'OMÉGA
par Serge Michalski et Louise Paradis

POUR UN ENSEIGNEMENT STRATÉGIQUE
par Jacques Tardif

POUR UN NOUVEL ENSEIGNEMENT DE LA GRAMMAIRE
sous la direction de Suzanne-G. Chartrand

LA PRODUCTION DE TEXTES
sous la direction de Jean-Yves Boyer, Jean-Paul Dionne et Patricia Raymond

LES PROCESSUS MENTAUX ET LES ÉMOTIONS DANS L'APPRENTISSAGE
par Louise Lafortune et Lise Saint-Pierre

LA QUESTION DE L'IDENTITÉ
sous la direction de Christiane Gohier et Michael Schleifer

LA RECHERCHE EN ÉDUCATION
sous la direction de Jacques Chevrier

LE ROMAN D'AMOUR À L'ÉCOLE
par Clémence Préfontaine

LE SAVOIR DES ENSEIGNANTS
sous la direction de Clermont Gauthier, M'hammed Mellouki et Maurice Tardif

SAVOIR, PENSER ET AGIR
par Jean-Claude Brief

SOLITUDE DES AUTRES
sous la direction de Norma Lopez-Therrien

THÉORIE GÉNÉRALE DE L'INFORMATION
par Yves de Jocas

TRANCHES DE SAVOIR
par Clermont Gauthier

VIOLENCE ET DÉLINQUANCE EN MILIEU SCOLAIRE
par Serge Michalski et Louise Paradis

Série *Pédagogie universitaire*

COORDONNER ET PLANIFIER LES ENSEIGNEMENTS AUX GROUPES MULTIPLES ET AUX GRANDS GROUPES
par Michelle Thériault, Robert Couillard, Gilles Gauthier et Marie-Claire Landry

L'ÉVALUATION DE L'ENSEIGNEMENT UNIVERSITAIRE
par Hélène Poissant

POUR UNE INTÉGRATION RÉUSSIE AUX ÉTUDES POSTSECONDAIRES
par Louise Langevin

Série *Pratiques pédagogiques*

CAHIERS PRATIQUES DE QUÉBEC FRANÇAIS
par Aline Desrochers Brazeau

CAHIERS QUESTIONNER
par Godelieve De Koninck

JE M'AVENTURE EN LECTURE AVEC L'INSPECTEUR BAGOU
par Gilles Fortier

Lise Desmarais

LES TECHNOLOGIES ET L'ENSEIGNEMENT DES LANGUES

Les Éditions
LOGIQUES

LOGIQUES est une maison d'édition reconnue par les organismes d'État responsables de la culture et des communications.

Nous remercions le Conseil des Arts du Canada, le ministère du Patrimoine canadien et la Société de développement des entreprises culturelles du Québec pour leur appui à notre programme de publication.

Révision linguistique: Cassandre Fournier, Jacques Saint-Amant, Claire Morasse
Mise en pages: Luc Sauvé
Graphisme de la couverture: Christian Campana
Illustration de la couverture: Annie Lestourneau
Photo de l'auteure: Alain Comtois

Distribution au Canada:
Logidisque inc., 1225, rue de Condé, Montréal (Québec) H3K 2E4
Téléphone: (514) 933-2225 • Télécopieur: (514) 933-2182

Distribution en France:
Librairie du Québec, 30, rue Gay-Lussac, 75005 Paris
Téléphone: (33) 1 43 54 49 02 • Télécopieur: (33) 1 43 54 39 15

Distribution en Belgique:
Diffusion Vander, avenue des Volontaires, 321, B-1150 Bruxelles
Téléphone: (32-2) 762-9804 • Télécopieur: (32-2) 762-0662

Distribution en Suisse:
Diffusion Transat s.a., route des Jeunes, 4 ter C.P. 1210, 1211 Genève 26
Téléphone: (022) 342-7740 • Télécopieur: (022) 343-4646

Les Éditions LOGIQUES
1247, rue de Condé, Montréal (Québec) H3K 2E4
Téléphone: (514) 933-2225 • Télécopieur: (514) 933-3949
Site Web: http://www.logique.com

Les technologies et l'enseignement des langues

Dépôt légal: Premier trimestre 1998
Bibliothèque nationale du Québec
Bibliothèque nationale du Canada

ISBN 2-89381-540-5
LX-658

Sommaire

Chapitre 2
Les technologies et l'expression orale

Préface

Au début des années 50, la naissance de la méthode audio-orale américaine a été le produit de la convergence de trois facteurs clés: la psychologie behavioriste, la linguistique structurale et le laboratoire de langues. En Europe, la méthode SGAV (structuro-globale-audio-visuelle) a également vu le jour à la suite de l'intégration de trois éléments majeurs: la psychologie gestaltiste, la linguistique structurale (distincte sur plusieurs points de son homologue américain) et le magnétophone utilisé conjointement avec le film fixe. De fait, les deux méthodes ou approches qui ont le plus marqué le développement de la didactique des langues des années 50 jusqu'au milieu des années 80 présentent cette caractéristique commune d'avoir été étroitement associées, dès leur conception initiale, à une certaine technologie alors naissante: le laboratoire de langues, dans un cas, et le magnétophone couplé au film fixe, dans l'autre cas.

Au milieu des années 70, les conditions de l'avènement de l'approche communicative qui allait être appelée à remplacer graduellement, en très grande partie, les méthodes audio-orales et SGAV, ont été tout à fait différentes. On sait, en effet, que l'approche communicative est avant tout la résultante, en milieu européen, d'un projet d'ordre politique et que, contrairement aux méthodes qui l'ont précédée, elle n'est pas issue d'un mouvement initial d'intégration de courants théoriques et d'une certaine technologie. Les débuts de l'approche communicative remontent au milieu des années 70: les premiers ordinateurs personnels ne sont apparus sur le marché qu'au début des années 80. Ce n'est qu'à la suite d'une bonne dizaine d'années d'implantation de l'approche communicative qu'ont été faites les premières véritables tentatives d'intégration – *a posteriori*, il convient de le souligner – non seulement d'un nouveau courant psychologique (la psychologie cognitive) mais de l'ordinateur à l'enseignement des langues. La technologie, cette fois, est venue se greffer, tant bien que mal, à une approche préalablement constituée.

En cette fin de siècle, soit au bout d'une vingtaine d'années de mise en place et de rajustements de l'approche communicative, il était plus que temps de faire le point sur le recours aux technologies dans l'enseignement des langues. Compte tenu de son propre parcours professionnel de formation et d'expérience, construit sur une double expertise, à la fois en didactique des langues et en création d'outils multimédiatisés à des fins d'enseignement des langues, Lise Desmarais était certes la personne la mieux placée pour jeter les bases d'une première synthèse en la matière. C'est vraisemblablement ce qui explique que chacun saura y trouver son compte, autant le spécialiste de la didactique des langues que l'enseignant de langue, ou que le technicien appelé à collaborer avec les deux autres. Le plan de l'ouvrage, élaboré autour des habiletés de base nécessaires à l'apprentissage de toute langue seconde ou étrangère (compréhension auditive et expression orale, compréhension de l'écrit et production écrite), a d'ailleurs été conçu de manière à ce que chacun puisse facilement s'y retrouver: les questions cruciales de l'évaluation des didacticiels et de l'implantation des technologies n'ont pas pour autant été négligées. C'est la première fois, à ma connaissance, qu'un ouvrage va aussi loin dans sa tentative – admirablement bien réussie – d'harmonisation des technologies de l'enseignement et de l'approche communicative en didactique des langues.

En parcourant cette synthèse de Lise Desmarais, tout lecteur sérieux ne pourra que développer le goût de mettre à l'essai, dans son propre milieu, telle ou telle technologie qui, sans cet ouvrage de base, serait sans doute restée inexploitée. C'est là un des très grands mérites de cet ouvrage.

Claude Germain
Directeur du Département de linguistique
Université du Québec à Montréal

Introduction

On pourrait croire que l'utilisation des technologies en didactique des langues est un phénomène récent, puisque maintenant les technologies, omniprésentes, gèrent presque nos vies! Mais, lorsqu'on songe à Coménius et à ses images de l'*Orbis pictus* de 1658, qui servaient à véhiculer la signification (Caravolas, 1984), on en était déjà aux premiers usages des technologies.

Même si les technologies ont évolué et se sont raffinées, l'apprentissage des langues, étant donné son objet propre, a souvent dû passer par des sentiers intermédiaires pour l'accès au sens ou à des réalisations langagières authentiques. Dans le cadre de cet ouvrage, on dira qu'on utilise une technologie lorsqu'on a recours à des moyens autres que la voix du professeur ou le manuel et les exercices sur support papier.

Lorsque Rivers (1990) se rappelle ses premiers contacts avec le français réel à partir de sa lointaine Australie, c'est grâce aux technologies: le phonographe à manivelle et les actualités de la *British Broadcasting Corporation* (BBC) sur ondes courtes. Déjà, dans les années 40, les technologies faisaient partie intégrante des programmes d'enseignement des langues, comme l'indique Kelly (1969). Dans un chapitre consacré aux médias mécaniques, il en retrace l'utilisation: du phonographe au magnétophone, au dictaphone, au mirrophone (1940)[1], aux diverses versions du laboratoire de langues, à la radio (surtout l'apport de la BBC), à la radio sur ondes courtes (*Voice of America*), aux technologies visuelles (films, films fixes, diapositives), à la télévision éducative, aux machines à enseigner et, enfin, à l'ordinateur.

Les technologies visuelles ont d'abord pris la forme de l'image, de la couleur, de la mise en page et du caractère du texte imprimé, du tableau, du graphique, des bandes dessinées, des affiches, des cartes présentant des illustrations. Puis, sont apparus les acétates et le rétroprojecteur, le sous-titrage des films, le tableau magnétique, les diapositives, les films fixes, pour en arriver aux technologies visuelles plus récentes, comme le CD-photo. Les technologies sonores (ondes courtes, disques 45 tours, 33 tours et compact, synthétiseur de parole, magnétophone à bande ou à cassette, radioamateur) permettent l'écoute de locuteurs natifs.

Les technologies audiovisuelles, qui intègrent divers supports, rendent possible l'accès au sens et à la réalité de la culture étrangère au moyen du film 8 mm ou 16 mm, commercial puis pédagogique, du film fixe accompagné d'une bande sonore, de la télévision commerciale ou éducative, en circuit fermé ou par satellite, de la vidéo, de la vidéoconférence, du disque optique compact (DOC ou CD-ROM[2]), du vidéodisque ou du multimédia[3].

Le laboratoire de langues a été la technologie la plus intimement associée à l'enseignement des langues, d'abord dans son expression la plus simple dans les années 20[4], qui permettait l'écoute à l'aide du magnétophone à deux pistes et l'enregistrement de segments sonores, mais qui s'est développée surtout dans les années 40, avec l'avènement de magnétophones plus perfectionnés. Maintenant, avec les laboratoires multimédias, où s'amalgament plusieurs technologies, nous assistons à la mise en place d'un nouveau type de laboratoire de langues, où l'accès simultané au son, au texte et à l'image est géré par l'ordinateur.

Apparues en 1924, mais utilisées à plus grande échelle dans l'enseignement des langues dans les années 50, les machines à enseigner, issues des hypothèses behavioristes, ont servi de support à l'enseignement programmé en présentant le contenu selon une progression fixe, par étapes minimales, dans un contexte contraignant et fournissant des renforcements susceptibles de favoriser l'apprentissage. Par exemple, «les séquences de questions-réponses étaient inscrites sur un rouleau de papier que l'apprenant tournait au fur et à mesure de sa progression dans la leçon. Il écrivait dans les cases prévues pour ses réponses, puis faisait avancer le rouleau pour obtenir la correction.» (Demaizière et Dubuisson, 1992, p. 39). Des appareils plus sophistiqués permettaient des branchements et étaient pourvus de dispositifs d'enregistrement des données.

Avec le programme PLATO *(Programmed Logic for Automatic Teaching Operation*), dont les débuts remontent à 1960, l'ordinateur a fait son entrée dans le monde de l'éducation. Les exercices mécaniques que l'on faisait sur les machines à enseigner ont été transposés sur l'ordinateur, qui permettait alors une analyse rudimentaire des réponses. Toutefois, le programme PLATO a subi plusieurs métamorphoses, tirant profit des développements de la technologie et des théories d'apprentissage jusqu'à sa dissolution, en 1993 (Hart, 1995).

L'ordinateur a mis du temps à s'établir dans l'enseignement des langues, même s'il offre des avantages sur le plan de l'apprentissage individualisé, de l'adaptation au rythme et aux stratégies d'apprentissage de l'apprenant, des rétroactions sur mesure et de l'évaluation en cours d'apprentissage. Barson et Debski (1996) identifient trois phases dans le développement de l'enseignement des langues assisté par ordinateur. L'ordinateur a d'abord été l'outil permettant des activités de répétition et de mécanisation, suivant ainsi les principes behavioristes. Puis, lorsque l'approche communicative a commencé à s'implanter, on a créé des programmes informatiques plus compatibles avec ces nouvelles orientations. Enfin, le courant que nous observons actuellement tire profit de l'ordinateur et des ressources qu'il peut offrir.

C'est par le traitement de texte que son introduction s'est révélée la plus marquée, d'abord pour l'enseignement de la production écrite en langue maternelle, puis pour les langues non maternelles. Maintenant, avec les capacités de mémoire accrues, l'emmagasinage de sons et d'images ne pose plus de problèmes, et l'ordinateur se taille une place plus importante en didactique des langues. L'apport de la psychologie cognitive et des théories constructivistes a servi de point d'ancrage au développement de nouveaux produits et à la recherche sur le processus d'apprentissage. Cependant, le rôle que jouera l'ordinateur dépendra des produits qu'on développera, de l'évaluation de la qualité qu'on en fera, de l'accueil que les enseignants et les apprenants lui réserveront et des moyens qui seront donnés aux enseignants pour se familiariser avec ces nouveaux outils, en continuelle évolution, et les intégrer à leurs programmes d'enseignement.

Quand on réfléchit à la panoplie des moyens technologiques et à leur apport à la didactique des langues, on doit aborder cette question par l'objectif principal: faciliter et promouvoir l'apprentissage. Ainsi, dans cet ouvrage, nous traiterons des technologies à partir des diverses habiletés à développer chez l'apprenant de langues non maternelles et des diverses conditions d'exploitation. Nous verrons donc comment les technologies permettent de développer des habiletés de compréhension de l'oral, d'expression orale, de production écrite et de lecture. Comme les technologies utilisées pour la compréhension de l'oral existent en plus grand nombre et sont utilisées depuis plus longtemps, nous les traiterons en profondeur. Pour les autres habiletés, nous nous attarderons plutôt aux supports informatiques et aux recherches afférentes. Les pratiques et les perspectives d'évaluation de matériel, particulièrement le didacticiel, feront l'objet d'un chapitre. La mise en place des technologies se présente sous diverses facettes: l'organisation matérielle et pédagogique, ainsi que la formation des enseignants. Toutefois, nous avons limité notre analyse aux technologies davantage répandues dans les milieux d'enseignement; nous ne traiterons pas, par exemple, de la problématique de l'enseignement à distance ou de la vidéoconférence. En prospective, nous examinerons à quoi on peut s'attendre, dans un avenir plus ou moins immédiat, avec l'évolution des technologies et les pistes qu'il nous faut explorer. Tout au long de cet ouvrage, nous faisons référence à des matériels didactiques; vous trouverez, en annexe, une liste de distributeurs du matériel cité et offert sur le marché.

Notes

1. Version primitive du magnétophone permettant l'enregistrement d'une séquence sonore maximale de deux minutes, utilisée pour l'enseignement de la prononciation et de la lecture à haute voix.
2. Même si l'abréviation DOC est reconnue par la Commission ministérielle de terminologie de l'informatique, nous utiliserons l'abréviation CD-ROM, qui est plus largement utilisée et acceptée par *Termium*.
3. L'Office de la langue française définit le multimédia comme une «technologie de l'information permettant la manipulation simultanée de sons, d'images et de textes, au moyen d'un seul ensemble informatique et de façon interactive».
4. Kelly (1969) rapporte l'existence d'un laboratoire de langues à l'Université Laval, à Québec, en 1946, utilisant la technologie du mirophone.

Chapitre 1

Les technologies et la compréhension auditive

Les méthodes audio-orales, structuro-globales-audio-visuelles et situationnelles accordaient une priorité à l'oral et aux activités de production, sans vraiment distinguer les éléments à comprendre des éléments à produire. C'est avec la venue de l'approche communicative que la didactique des langues a commencé à s'intéresser vraiment à la compréhension auditive, à l'importance de l'utilisation des documents authentiques et à la spécificité des tâches langagières de compréhension et de production. L'approche naturelle préconisée par Krashen et Terrell (1983) a mis l'accent sur les habiletés réceptives en suggérant de développer les habiletés de compréhension avant de passer à la production; c'est à la suite de ce courant que sont nées les approches axées sur la compréhension, adoptées dans des programmes d'enseignement comme celui de l'Institut des langues secondes de l'Université d'Ottawa (Courchêne, Glidden, St. John et Thérien, 1992).

Cornaire (1998) fait le point sur la compréhension auditive en didactique des langues en passant en revue les modèles théoriques de compréhension auditive, les stratégies d'apprentissage et d'écoute recommandées aux apprenants, les caractéristiques textuelles influençant la compréhension auditive et les interventions pédagogiques propres à faciliter le développement de la compréhension auditive.

L'enseignant se doit d'utiliser divers médias pour donner aux apprenants l'accès à des documents authentiques, à des discours de locuteurs natifs et à différentes sources d'informations sonores et visuelles. Ainsi, on aura recours à des documents audio (bande sonore, disque), audiovisuels (télévision, film, vidéo) et hypermédias[1], intégrant son, image et texte, que l'on trouvera sous divers supports (vidéodisque, CD-ROM, site Web[2]). Comme le souligne Bisaillon (1996a), les nouvelles technologies ont un rôle spécialement important à jouer dans l'enseignement de la compréhension auditive.

1.1 Les ressources audio

Nous verrons, dans un premier temps, l'évolution de l'utilisation des ressources audio, avant d'étudier diverses pistes pour leur exploitation pédagogique.

1.1.1 Un aperçu historique

Avec la découverte du phonographe par Edison, en 1877, la conservation du son était rendue possible (Kitao, 1995). En 1891, on rapporte la première utilisation de séquences sonores pour l'enseignement des langues au Collège de Milwaukee. Mais ce n'est qu'au début du XXe siècle que les sources sonores ont été intégrées à l'enseignement des langues, d'abord pour l'enseignement de la prononciation (Kelly, 1969). Déjà, en 1920, la compagnie Linguaphone exploitait à des fins commerciales l'utilisation de disques pour l'enseignement des langues, mais la qualité des enregistrements laissait alors grandement à désirer. Ce n'est que vers 1950, avec la découverte des enregistrements haute-fidélité, que l'utilisation du disque s'est généralisée. Vers 1940, la possibilité d'enregistrer sur bande magnétique est née avec le mirrophone (voir l'introduction); son utilisation visait, encore une fois, l'enseignement de la prononciation. Vers la fin des années 50, le magnétophone, avec bande à deux pistes, s'établissait comme moyen d'enseignement. Toutefois, c'est de la nécessité d'offrir à chaque apprenant la possibilité d'enregistrer sa voix et de comparer sa production à la piste maîtresse qu'a vu le jour le laboratoire de langues, encore une fois utilisé d'abord à des fins de production orale.

Au début des années 30, la radio a commencé à s'implanter comme moyen d'enseignement. La BBC fut la première société à radiodiffuser des cours de français et d'anglais, puis d'allemand. En optant pour le format du téléroman, présentant des situations de la vie quotidienne, cette société a su retenir l'attention des auditeurs.

La radio sur ondes courtes a fait son entrée aux États-Unis, pour l'enseignement des langues, par *Voice of America*, qui transmettait les exercices structuraux que l'on retrouvait dans les méthodes d'enseignement de l'époque. Outre ce type d'émissions, on avait accès à des émissions conçues pour des locuteurs natifs de la langue cible. Les professeurs tentaient d'utiliser ce nouveau moyen d'enseignement, mais souvent, après avoir résolu divers problèmes logistiques (nombre d'appareils, qualité et horaire de diffusion des émissions, temps limité pour la préparation).

Aux disques 45 tours et 33 tours ont succédé les disques compact qui assurent une meilleure qualité d'enregistrement sous forme audionumérique. Aux magnétophones à bande magnétique ont succédé les magnétophones et les baladeurs à cassette et à disque compact qui permettent maintenant d'avoir accès à des enregistrements audio en tout lieu.

1.1.2 L'exploitation pédagogique

Les enregistrements audio font partie intégrante des méthodes d'enseignement des langues. Avec le livre du maître et celui de l'étudiant, on retrouve obligatoirement des cassettes audio qui contiennent divers types d'exercices: répétition, audition, traduction, etc. Les méthodes d'enseignement plus récentes présentent des documents simplifiés ou pédagogiques, des dialogues authentiques, des monologues, des exercices de compréhension auditive, des chansons; le tout enregistré par des locuteurs natifs, soit sur le vif, soit à partir de transcriptions de dialogues authentiques recréés en studio, le plus souvent dans le pays même, présentant des situations réelles de communication.

À partir des enregistrements audio, on vise le développement de la compréhension auditive avec des exercices lacunaires, des dictées, des questions à choix multiples, des exercices «vrai ou faux», ou des questions ouvertes sur le contenu de l'enregistrement. Non satisfaits des produits commerciaux, des équipes de professeurs élaborent leurs propres outils, davantage reliés aux besoins de leurs apprenants et aux objectifs de leur programme d'enseignement. Ceci, il va sans dire, ne se fait pas sans effort important, ni sans investissement en temps et en argent.

Cornaire (1998) passe en revue les modèles théoriques propres au processus de compréhension, mettant en évidence les principes sous-jacents aux activités et les habiletés nécessaires au décodage de l'information et ce, pour la langue maternelle et la langue seconde. Ces principes, que nous reprenons ci-dessous, devraient guider les enseignants quant aux stratégies pédagogiques à utiliser et aux stratégies d'apprentissage à encourager chez les apprenants lorsqu'ils ont recours aux technologies.

- La centration sur le sens favorise davantage la compréhension que le recours à des indices morphologiques ou syntaxiques.
- L'apprenant devrait utiliser diverses sources d'accès au sens plutôt que de faire une écoute mot par mot.
- Les documents qui se rapprochent le plus de la conversation sont plus faciles à comprendre.
- Un débit rapide (plus de 275 mots à la minute) peut nuire à la compréhension.
- Les pauses allouent du temps pour découper le texte et réfléchir sur le sens du message.

- La redondance (répétition de mots ou de parties d'énoncés), les marques linguistiques (micro-marqueur: lien entre les phrases ou les parties de phrases; macro-marqueur: lien entre les parties du discours) et la prévisibilité facilitent l'accès au sens.
- Les connaissances antérieures servent à structurer l'écoute.
- Le fait d'anticiper ce qui peut être dit (à partir de structurants: texte, questions, liste de vocabulaire ou support visuel) facilite la construction du sens.
- Lorsqu'on fixe son attention sur un aspect particulier du message, on en saisit mieux le sens.
- En rassemblant les indices disponibles, on saisit rapidement les paramètres de la situation de communication.
- Une période de concentration trop longue engorge la mémoire à court terme.
- La quantité de notes prises ne détermine pas la qualité de la compréhension.

Ces principes, valables pour l'écoute de documents sonores, sont aussi applicables à l'écoute de documents audiovisuels, et, pour cette raison, nous ne les reprendrons pas à la section suivante.

1.2 Les ressources audiovisuelles

Après un survol historique des ressources audiovisuelles, nous examinerons diverses facettes de leur exploitation pédagogique et présenterons des recherches qui leur sont rattachées.

1.2.1 Un aperçu historique

Les ressources audiovisuelles les plus importantes dans le monde de l'enseignement des langues ont été les films, la télévision et, plus récemment, la vidéo. Un survol historique nous permettra d'en situer l'impact dans le temps.

Les films

Les films (16 mm et 8 mm), les films fixes et les diapositives ont été les premières ressources audiovisuelles utilisées, mais non sans difficulté. Les méthodes audiovisuelles reposaient sur l'utilisation d'un film fixe qui accompagnait une bande sonore, permettant de faire immédiatement l'association son/sens. On recommandait même de présenter le film fixe quelques secondes avant la séquence sonore pour faciliter l'accès au sens à partir d'une image voulue univoque.

Les films commerciaux ont commencé à être utilisés dans l'enseignement des langues au cours des années 30. Souvent, l'utilisation de ces films avec des débutants avait pour effet de les décourager, puisque le contenu linguistique était trop important, le débit, trop rapide et la charge culturelle, trop grande. À la même époque, les films pédagogiques pour l'enseignement de l'anglais ont vu le jour dans les studios de Walt Disney. Pour le français, c'est le CREDIF (Centre de recherche et d'étude pour la diffusion du français) qui a produit les premiers films pédagogiques. Tirant profit des réactions aux films commerciaux, ces films étaient de courte durée (souvent limités à quatre minutes) et présentaient des personnages parlant distinctement et à un rythme un peu plus lent que la normale. On suggérait de présenter d'abord le film sans son pour permettre à l'apprenant de se familiariser avec le contenu sémantique véhiculé par l'image.

Les films sont maintenant distribués sur support vidéo ou vidéodisque; nous en verrons l'exploitation pédagogique sous ces rubriques.

La télévision

La télévision, inventée en 1926, a été utilisée à des fins d'enseignement des langues aux États-Unis en 1951 (Kelly, 1969). La télévision permettait de voir des éléments et des endroits autrement inaccessibles, de présenter la langue dans des contextes culturels impossibles à créer en classe. Les émissions se limitaient à cinq minutes de présentation durant lesquelles les apprenants devaient jouer un rôle actif en répondant à des questions posées par l'animateur (professeur ou acteur). On employait différents formats de présentation: dialogues réels, marionnettes, dessins animés. Les professeurs qui utilisaient la télévision avaient souvent accès à du matériel complémentaire (cahier d'exercices, transcription) qui leur permettait d'exploiter le contenu des émissions. Ici encore, la BBC s'est illustrée par ses émissions de télévision pour l'enseignement des langues étrangères: *La chasse au trésor*, *French Talks*, *Get by in...* (en diverses langues), *Bon voyage*, *Parliamo Italiano*, *España viva*, *Russian Language and People*, *Discovering Portuguese*.

Une fois de plus, les problèmes logistiques n'étaient pas faciles à résoudre: permettre à tous les apprenants de voir l'émission dans des conditions acceptables, concilier l'horaire de diffusion et celui de la classe, capter adéquatement le signal, enregistrer l'émission pour une utilisation ultérieure, préparer à l'avance l'exploitation des contenus. Grâce au magnétoscope, ces problèmes ont été en partie résolus.

Avec l'avènement du câble et des satellites de communication, au milieu des années 60, la diffusion d'émissions de télévision provenant de sources éloignées est maintenant possible. Il devient alors facile de capter des émissions en langues étrangères qui ne sont pas diffusées dans un environnement immédiat.

Nous verrons l'exploitation pédagogique de la télévision sous la rubrique suivante, puisque, dans un contexte d'enseignement, on utilise maintenant très rarement la transmission directe d'une émission, mais plutôt l'enregistrement sur vidéo pour une exploitation ultérieure.

La vidéo

Grâce à la compagnie Sony, la vidéo a fait son apparition en 1956, et, au cours des années 70, le marché japonais avait conquis cette industrie. C'est alors que la vidéo a commencé à supplanter la télévision, principalement à des fins éducatives. Son utilisation est plus facile: arrêter le déroulement de l'enregistrement sur demande, faire des retours en arrière, accélérer ou ralentir le déroulement, étudier une image spécifique ou écouter une émission au moment opportun. De plus, la bande vidéo a une résistance plus grande aux usages multiples que le film, et les magnétoscopes sont plus robustes et plus faciles à manipuler que les projecteurs de films.

Cependant, sur le plan technique, la vidéo pose des problèmes d'incompatibilité. Au même titre qu'on retrouve des bandes de format VHS (*Video Home System*) – ce modèle tendant à s'implanter – BETAMAX et UMATIC (1,5 cm), les normes de diffusion télévisuelle varient selon les pays: la norme NTSC (*National Television Systems Committee*) au Canada, aux États-Unis, au Mexique et au Japon; la norme SECAM (*Séquence de couleurs avec mémoire*) en France et au Moyen-Orient; la norme PAL (*Phase Alternation by Line*) en Allemagne, en Grande-Bretagne, en Espagne et dans certains pays de l'Europe de l'Ouest (Richardson et Scinicariello, 1989). PICS (*Project for International Communication Studies*) a comme mandat d'obtenir les droits pour convertir des documents vidéo de format PAL ou SECAM au format NTSC à des fins d'enseignement des langues. De plus, ce projet inclut la préparation de matériel d'accompagnement aux documents vidéo, ce qui allège la tâche de l'enseignant.

Les documents vidéo sous forme analogique peuvent être numérisés. Toutefois, à l'heure actuelle, la numérisation est une option valable seulement pour les documents de courte durée. Outre le repérage immédiat des images et des séquences sonores, la numérisation permet de modifier les images sur le plan du contenu et des dimensions, et d'ajouter du texte, ce qui libère l'utilisateur des contraintes temporelles reliées à la gestion des segments sonores. L'image et le son numérisés peuvent être mis en mémoire sur disque rigide ou sur disque optique, alors que l'image et le son analogiques peuvent être conservés sur bande magnétique, puisqu'ils ont des propriétés physiques variables et que leur accès ne peut être que séquentiel.

1.2.2 L'exploitation pédagogique

Les activités pédagogiques et les principes proposés sous la rubrique ressources audio conviennent également aux documents vidéo, mais, étant donné leur nature particulière, certaines précautions s'imposent. Nous traiterons spécifiquement du choix du document vidéo, des objectifs pédagogiques à viser, de la méthodologie de présentation, des restrictions qui s'appliquent quant à leur reproduction et à leur distribution.

Le choix du document vidéo

L'enseignant devra choisir judicieusement le type de document vidéo (pédagogique ou grand public), le thème traité et déterminer la longueur de la présentation pour répondre aux intérêts des étudiants et atteindre les objectifs visés. Le choix du document vidéo doit tenir compte de l'âge des apprenants, puisqu'on a tendance à préférer voir des protagonistes de son propre groupe d'âge ou un peu plus âgés. Il faut également tenir compte de leur connaissance du thème présenté, des valeurs culturelles, des stéréotypes et des idéologies politiques véhiculées dans leur propre communauté, puisque la présentation d'un document vidéo n'a pas pour but de choquer les apprenants. De plus, la personnalité du locuteur est à considérer; on écoutera plus volontiers un locuteur intéressant ou dépourvu de maniérisme.

La présentation d'un document vidéo trop difficile (débit trop rapide, bruit de fond important, accent ou sujet peu familier, nombre élevé d'interlocuteurs dont les interventions se chevauchent) ou de qualité technique médiocre sur le plan des images ou du son pourrait décourager des apprenants non préparés à une telle écoute et augmenter leur niveau d'anxiété. Un document dans lequel le locuteur ne fait que parler à l'écran est moins favorable à la compréhension qu'un document où l'on observe le déroulement d'une action. Une structure prévisible (introduction, développement, conclusion) favorise également la compréhension; toutefois, le document doit comporter une certaine intrigue pour stimuler l'intérêt. Un document trop long pourrait également rendre impossible la compréhension, étant donné l'effort soutenu nécessaire à la compréhension et la léthargie que peut engendrer une période d'écoute trop longue. Rubin (1990) souligne que le choix du document vidéo constitue l'élément critique de l'utilisation de la vidéo en classe de langue.

Pour les débutants, la présentation d'un document vidéo de courte durée (une à deux minutes), dans lequel il y a redondance entre les images et l'information véhiculée par les mots, est plus susceptible de susciter leur intérêt. L'accès au sens est facilité lorsque le cadre physique, l'action qui se déroule et les comportements des protagonistes fournissent des indices sémantiques. Les apprenants de niveau intermédiaire peuvent écouter un document de plus longue durée, dans lequel il y a complémentarité entre les images et la bande sonore, à la façon d'un documentaire ou d'un reportage. Les documents doivent être de courte durée pour permettre de les réécouter sans provoquer de lassitude. C'est au niveau avancé que les apprenants peuvent vraiment aborder des documents vidéo présentant des images symboliques, des concepts plutôt que des actions, des discussions dans lesquelles l'accent est mis sur les idées des intervenants et non sur le cadre dans lequel se déroule l'action.

Certains produits commerciaux sont sous-titrés, facilitant ainsi l'accès au sens. Les décodeurs de sous-titrage, ou décrypteurs internes ou externes au téléviseur, conçus d'abord pour les malentendants, permettent l'accès aux sous-titres, mais dans la langue du document. Toutefois, certains permettent le visionnement en direct des sous-titres, mais non leur enregistrement. L'utilisation de ces outils a donné lieu à des recherches, dont nous discuterons plus loin, portant sur l'effet des sous-titres sur l'apprentissage des langues.

Les documents pédagogiques ont l'avantage de répondre aux besoins linguistiques des apprenants, puisqu'ils sont souvent relativement courts, présentent des situations peu complexes, et ce, dans une langue épurée. Les documents grand public, s'adressant à des locuteurs natifs, présentent des situations authentiques, dans une langue réelle avec toutes les complexités qu'elle comporte.

La production de méthodes d'enseignement d'envergure utilisant la vidéo comme matériel de base, telles que *French in Action* en 1987, pour l'enseignement du français, *Destinos* en 1992, pour l'espagnol, *Alles Gute!* produit par l'institut Goethe en 1994, pour l'allemand, a marqué l'entrée de la vidéo comme composante centrale des méthodes d'enseignement. Sont inclus avec les documents vidéo du matériel d'accompagnement, comme des listes de vocabulaire, des exercices, des documents audio, des notes culturelles. Par exemple, un didacticiel présentant des activités de compréhension auditive pour chacun des 52 épisodes accompagne le programme *Destinos.* Les utilisateurs du programme *French in Action* peuvent partager leurs commentaires et leurs réactions sur un site Web[3].

Les messages publicitaires sont généralement à la portée des apprenants de langue étrangère, parce que ces derniers sont généralement familiers avec ce genre de documents. De plus, ces messages doivent être suffisamment clairs pour atteindre leur objectif de promotion, courts étant donné le coût du temps d'antenne, attrayants grâce à un contenu non verbal important qui capte l'attention, compréhensibles sur le plan du contenu verbal: soit un ensemble de caractéristiques qui favorisent leur utilisation en classe de langue. En outre, les messages publicitaires véhiculent souvent des valeurs culturelles. Par exemple, *Bueno, bonito y barato*, matériel didactique conçu pour l'enseignement de l'espagnol, est fondé sur l'exploitation de messages publicitaires. Gerling (1994) et Koeppel (1992) suggèrent une méthodologie d'exploitation de ce type de matériel qui passe de l'écoute à la notation de vocabulaire, aux questions de compréhension, pour aboutir à la dramatisation et à la production écrite.

La diffusion de programmes de télévision par satellite permet de capter des émissions dans diverses langues. Le réseau SCOLA (*Satellite Communications for Learning Worldwide*), créé en 1983, assure la retransmission par satellite en Amérique du Nord de bulletins d'informations en plusieurs langues à partir de son site de Creighton University (Nebraska). Un abonnement est nécessaire pour avoir accès à la transmission des émissions. La transcription de certains bulletins et certains exercices (*INSTA-CLASS*) sont accessibles à partir de leur site Web[4]. Outre les bulletins, le réseau SCOLA retransmet des émissions à caractère culturel qui pourraient intéresser les professeurs de langues.

Les objectifs pédagogiques

Les documents vidéo, tout comme les documents audio, permettent aux apprenants de se familiariser avec divers accents, élément nécessaire au développement de la compréhension. De plus, les documents choisis peuvent présenter divers registres propres à une langue authentique. Grâce à des indices favorisant la compréhension et une contextualisation de la langue dans un cadre précis, la vidéo fournit un support visuel qui facilite l'acquisition du vocabulaire, point d'ancrage de la compréhension.

Le manque de connaissances culturelles et la non-reconnaissance de ces indices peuvent nuire tout autant à la compréhension qu'un vocabulaire trop limité. L'accès que propose la vidéo aux informations culturelles permet aux apprenants de se familiariser avec les us et coutumes du pays (la tenue vestimentaire, les comportements, les aspects de la vie quotidienne, les préoccupations des locuteurs natifs, l'humour, les types d'émissions présentés) et de relier les registres de langue utilisés au statut social des interlocuteurs. La vidéo présente des informations paralinguistiques (proxémiques – distance entre les interlocuteurs; kinésiques – langage corporel) que les apprenants doivent d'abord reconnaître, interpréter, puis adopter. Dans les entrevues et les débats, où prime le message sonore, le langage non verbal (les gestes, les mimiques, les regards, les mouvements, les attitudes) est souvent riche d'informations.

Cependant, selon les normes du pays, la censure ou une prétendue rectitude politique peuvent défendre la présentation de documents véhiculant certaines réalités. Il revient alors à l'enseignant de présenter le contexte de diffusion et d'éclairer les apprenants dans leur écoute, pour éviter le maintien de stéréotypes.

La vidéo permet un accès élargi aux manifestations d'un groupe linguistique par le choix de divers genres d'émissions (journal télévisé, publicité, météo, variétés, documentaire, court métrage, entrevue, téléroman) provenant de diverses sources. Pour l'enseignement du français, par exemple, on ne se limitera pas à des émissions provenant du Québec, mais on considérera la francophonie dans son ensemble (Acadie, France, Belgique, Suisse, Afrique francophone, Antilles).

La méthodologie

La présentation d'un document vidéo se fait généralement en trois étapes.

Pré-écoute

La pré-écoute est une phase d'ancrage où l'on aborde le thème présenté dans le but de stimuler les connaissances antérieures et de situer le document dans un contexte culturel. On dirige l'écoute des apprenants à l'aide de la lecture d'un texte relié au thème traité, d'une carte géographique, d'un graphique ou d'un tableau, d'un exercice de repérage, d'une grille lacunaire, d'une liste à compléter ou de questions à répondre. On présente des formes linguistiques qui permettent de structurer l'écoute. On suggère que les débutants visionnent le document sans son pour émettre des hypothèses sur le contexte situationnel, le contenu ou la relation entre les intervenants et pour se sensibiliser aux éléments sémantiques véhiculés par le support visuel.

Écoute

L'écoute est la phase où les apprenants visionnent le document sans interruption pour comprendre la situation, distinguer les idées émises et se préparer aux tâches proposées par l'enseignant (détecter, sélectionner, classer, identifier, reconnaître). Une deuxième écoute est parfois nécessaire pour effectuer des activités plus complexes (synthétiser, juger) et pour exécuter les découpages lexicaux nécessaires.

Après-écoute

Pendant l'après-écoute, les apprenants répondent à des questions de compréhension, font un résumé de ce qu'ils ont vu et entendu, traitent les éléments lexicaux présentés, discutent certains aspects linguistiques et culturels, infèrent à partir d'éléments explicites ou implicites, portent un jugement critique sur la situation ou sur les idées présentées en réécoutant le document au besoin. Une troisième écoute, comme le suggère Darst (1991), crée chez l'apprenant une impression positive. S'il s'agit d'un document vidéo d'assez longue durée, seule la phase d'après-écoute devrait être faite en classe, alors que les deux phases précédentes pourraient se dérouler au laboratoire de langues.

Les ouvrages de Lancien (1986) et de Compte (1993) présentent un cadre d'exploitation de la vidéo en classe de langue et une panoplie d'activités pédagogiques à partir de divers types de documents vidéo. Dans le même sens, Geddes et Sturtridge (1982), Lonergan (1984), Allan (1985), Cooper *et al.* (1991) proposent des activités variées de compréhension auditive à partir de la vidéo. Ces activités mettent l'accent tantôt sur l'aspect visuel, tantôt sur l'aspect sonore, tantôt sur le rapport entre ces deux dimensions. Ces activités débouchent parfois sur l'expression orale, dont nous discuterons au chapitre suivant. Rubin (1990, 1992) a démontré, à l'aide d'une expérimentation rigoureuse, que la formation à des stratégies d'écoute était possible et nécessaire pour des documents relativement complexes et que l'utilisation répétée de documents vidéo avait un effet positif sur le développement de la compréhension auditive. En somme, les activités d'enseignement doivent favoriser l'accès au sens par opposition au repérage de détails, n'ayant que peu d'effet sur le sens global de l'interaction.

Plusieurs auteurs ont suggéré divers moyens d'exploiter des bulletins d'informations, à des fins d'enseignement, en faisant bien remarquer les avantages (information actuelle véhiculant des données socioculturelles) et le niveau de difficulté qu'ils présentent (les apprenants n'ont pas un cadre de référence suffisant pour comprendre, les images peuvent fausser le message, on utilise une langue écrite oralisée sans redondance). Pour que le document vidéo garde son actualité, son exploitation doit suivre de près sa diffusion sur les ondes.

- Lancien, d'abord en 1986, puis dans un ouvrage complet consacré à ce sujet en 1996, propose des activités pédagogiques spécialement adaptées au journal télévisé, en allant de la simple écoute à l'analyse de la construction d'un journal télévisé, jusqu'à la comparaison avec la presse écrite.
- Meinhof (1990) décrit le développement d'un programme de vidéo interactive (déroulement d'une bande vidéo géré par ordinateur) fondé sur les bulletins d'informations. Ce programme offre des structures métacognitives (plan

général, description linéaire, description schématique, analyse du format de présentation) permettant l'accès à l'information et est accompagné d'outils d'aide (dictionnaire, description du programme, accès à des informations périphériques) et d'activités linguistiques et communicatives allant jusqu'à l'écriture et la production d'un bulletin d'informations.

- Darst (1991) suggère l'entraînement à l'écoute des bulletins d'informations, car, étant donné leur nature répétitive et prédictive, la compréhension en est facilitée.
- Katchen (1992) suggère l'utilisation des bulletins d'informations, puisqu'on y traite de façon succincte de thèmes variés, utilisant une langue authentique, claire et précise, avec un vocabulaire spécialement choisi pour des adultes, fournissant un contexte visuel (carte, texte écrit) favorisant l'accession au sens. Elle conseille de choisir spécialement les nouvelles internationales (par opposition aux nouvelles locales), qui font généralement partie des connaissances référentielles de l'apprenant et qui s'échelonnent sur une période de temps assez longue.
- Poon (1992) a comparé l'effet de l'écoute de bulletins d'informations à celle d'autres types d'émissions pour l'enseignement de la compréhension auditive en anglais, langue seconde. Ses conclusions indiquent que tous les types d'émissions favorisent le développement de la compréhension auditive, mais que les bulletins d'informations savent davantage intéresser ses apprenants (de jeunes adultes ayant entre 18 et 22 ans), qui ont l'impression d'avoir progressé davantage lorsqu'ils écoutent ce type de document.
- Vande Berg (1993) traite l'exploitation des informations tirées du réseau SCOLA. Elle expose ses étudiants de français (niveau intermédiaire) à des documents de courte durée (deux à trois minutes) qu'elle peut faire réécouter

sans prolonger indûment la période d'écoute. De plus, elle choisit des bulletins qui traitent de sujets avec lesquels les étudiants sont familiers, fournit les structurants nécessaires afin d'orienter l'écoute et leur soumet au préalable les questions auxquelles ils auront à répondre.

– Imai et Edasawa (1997) ont pu démontrer, dans leur recherche menée auprès d'étudiants d'anglais L2, que l'élaboration d'un résumé à la suite de l'écoute des informations télévisées permet le développement de stratégies de compréhension auditive, favorise l'établissement d'une attitude positive face à l'écoute, assure une meilleure compréhension du matériel présenté et procure à l'étudiant une impression d'accomplissement.

L'utilisation de la vidéo est recommandée pour l'enseignement des langues de spécialité. Par exemple, on entraînera à la prise de notes les apprenants inscrits à un programme de langue, dans le but de s'inscrire ultérieurement à un programme universitaire dans un domaine spécialisé, en leur présentant des extraits de cours sur vidéo dans lesquels le professeur ne fait que communiquer oralement son sujet, sans accès à d'autres moyens pédagogiques. Le programme de français d'entreprise du Centre de linguistique appliquée de Besançon (Le-Ninan, 1992), le programme d'espagnol des affaires de Gonzalez (1990) et celui d'Arrington (1993), *España y America: Al habla!,* contiennent une composante vidéo importante.

On utilise également la vidéo pour l'exploitation des éléments non verbaux kinésiques et paralinguistiques afin que les apprenants se familiarisent avec les valeurs comportementales propres à une culture. Diverses expériences ont été menées touchant la communication interculturelle à l'aide de la vidéo. Par exemple, Pang et Klassen (1993) ont élaboré, à l'intention de leurs apprenants (des étudiants chinois de niveau universitaire apprenant l'anglais langue seconde), un document vidéo dans lequel des commis de banque (des locuteurs chinois parlant anglais) optaient pour des comportements non verbaux polis ou impolis pouvant favoriser ou rompre la communication avec des locuteurs natifs de langue anglaise (Canadiens, Australiens, Britanniques, Indiens). Outre la visualisation de l'interaction, un commentaire du narrateur éclairait l'apprenant sur l'effet du comportement.

Les restrictions

La reproduction et la distribution de documents vidéo posent des problèmes de droits d'auteur dont la réglementation varie selon les pays. On trouve sur l'emballage ou sur les premières images des cassettes vidéo les restrictions qui s'imposent quant à sa reproduction et à sa distribution (interdiction de faire des copies, permission de faire une copie de sécurité, permission de faire un nombre limité ou illimité de copies pour un site particulier) ainsi que son adaptation (modifier un produit à des fins autres que celles prévues par l'auteur, convertir en format numérique). Crandall (1997) fait un relevé des diverses situations où l'utilisation de documents authentiques pose le problème du respect des droits d'auteur.

Les problèmes se posent quant à la copie d'émissions de télévision pendant leur diffusion et leur utilisation ultérieure à des fins éducatives. La loi canadienne sur les droits d'auteur prescrit, dans ce cas, que les copies peuvent être utilisées à des fins éducatives dans un certain délai. Selon la loi, un enseignant peut faire une copie d'une émission et la garder pour une période de 45 jours sans avoir à se préoccuper des droits d'auteur. Si, après cette période, il décide de conserver cette copie, il devra engager les procédures nécessaires pour le faire. Toutefois, cette réglementation peut varier dans le temps, et on devra se référer à la loi. On peut trouver des informations à ce sujet sur le site Web du Conseil des ministres de l'Éducation du Canada[5]. On y trouve également des directives établies par le *Consortium of College and University Media Centers* quant à l'utilisation du matériel soumis à des droits d'auteur[6].

L'enseignant désireux de faire une exploitation importante d'un document vidéo et de produire des documents afférents (exercices écrits, méthodologie sur mesure, canevas d'activités), pour son propre usage ou pour distribution externe, devra s'assurer de respecter les termes de la loi; sinon, il pourrait se retrouver aux prises avec des problèmes juridiques importants et dans l'impossibilité d'utiliser les documents préparés.

La formation des enseignants

Berdahl et Willetts (1990) rapportent les données d'un sondage mené en 1988-1989 indiquant que la vidéo était une ressource technique largement utilisée par les enseignants et que ses mérites n'étaient plus à vanter. Tout laisse croire que cette situation est encore valable à ce jour.

Comme les magnétoscopes ne fonctionnent pas tous de la même façon, l'enseignant, pour en tirer profit, devra connaître les possibilités techniques qu'ils offrent (pause, ralenti, avance image par image, recherche rapide), apprendre à les programmer pour une écoute ultérieure, à choisir la vitesse d'enregistrement offrant une meilleure qualité, à manipuler la télécommande (qui peut varier d'un appareil à l'autre), à assurer l'entretien minimal de l'équipement – comme le nettoyage des têtes d'enregistrement (si telle est sa situation professionnelle) – et à mettre à jour un répertoire des documents vidéo accumulés. Le repérage d'une séquence sur vidéo est plus facile que sur film, mais demeure tout de même une opération laborieuse. Or, si l'enseignant vise une exploitation de plusieurs séquences précises, le support vidéo n'est peut-être pas le plus approprié. Sur le plan ergonomique, l'enseignant devra s'assurer que tous les apprenants peuvent voir le moniteur et entendre convenablement la piste sonore. L'enseignant désireux d'apporter des modifications aux documents vidéo devra apprendre à faire des montages ou des doublages sonores.

Outre les connaissances techniques, la présentation d'un document vidéo nécessite également une préparation pédagogique adéquate. Pour exploiter le document vidéo, l'enseignant doit d'abord le choisir, selon les critères mentionnés plus haut, en fonction des objectifs visés, puis le visionner au préalable, identifier les contenus à exploiter (linguistiques, fonctionnels, communicatifs, culturels), déterminer sa stratégie pédagogique, se sensibiliser au message visuel, analyser le rapport entre le son et l'image[7] et finalement prendre connaissance ou préparer les documents d'accompagnement nécessaires. L'enseignant doit également se familiariser lui-même avec les informations ou les concepts véhiculés dans le document vidéo, s'il s'agit, par exemple, de documents historiques, d'émissions d'information ou de documentaires.

Alors qu'il y a vingt ans, les enseignants déploraient le manque de ressources vidéo, la situation, de nos jours, a bien changé, comme le souligne Lyman-Hager (1994). Le problème du choix de documents vidéo se pose, ainsi que celui du temps requis pour visionner ces derniers, préparer le matériel afférent nécessaire et intégrer le tout dans le programme d'enseignement. Des revues scientifiques, des comités d'analyse, des groupes de discussion rapportent souvent les résultats de leur analyse de documents vidéo, ce qui peut alléger la tâche de l'enseignant[8].

1.2.3 Les recherches

Cornaire (1998) rapporte des expériences touchant des facteurs pouvant influencer la compréhension auditive. Toutefois, les conclusions de certaines recherches concernaient plus spécifiquement le support visuel.

Le support visuel:

- est un facilitateur lorsque le sujet a atteint un certain développement cognitif;
- permet d'améliorer la compréhension globale d'un texte narratif et l'intrication des événements racontés;
- permet une réduction du degré d'inquiétude face à un texte difficile;

- facilite le maintien de l'attention;
- permet de mieux intégrer l'information nouvelle lorsqu'il est accompagné de structurants simples (phrases écrites présentant la chronologie des événements).

Le tableau 1 présente des études postérieures à 1990 touchant les effets de la vidéo sur la compréhension auditive.

Tableau 1

Recherches sur la vidéo et la compréhension auditive

Auteur	Année	Langue	Clientèle	Résultats
Baltova	1994	français	secondaire (600 heures de formation)	– les indices visuels favorisent la compréhension générale – la vidéo favorise le maintien de l'attention
Duquette	1993	français	universitaire (niveau débutant)	– les indices extralinguistiques de la vidéo favorisent l'inférence lexicale
Hébert	1991	anglais	collégiale (niveau intermédiaire)	– la lecture à haute voix de la transcription d'une bande vidéo favorise le développement de la compréhension
Herron	1994	français	universitaire (niveau débutant)	– un structurant (description accompagnée d'une image) favorise la compréhension
O'Donnell	1990	anglais	universitaire (japonais)	– l'apprenant a plus de confiance à écouter et à comprendre – la capacité d'attention est accrue – l'intérêt est plus grand
Rubin	1990	espagnol	secondaire	– la formation aux stratégies d'écoute est nécessaire – l'entraînement à l'écoute est profitable
Terrell	1993	espagnol	universitaire (niveau intermédiaire)	– gain en compréhension auditive pour le groupe expérimental (activités de compréhension) vs groupe témoin 1 (classe habituelle) vs groupe témoin 2 (locuteurs natifs)

L'effet de la présence de sous-titrage sur l'apprentissage a également fait l'objet de plusieurs recherches. Étant donné la conjonction de divers médias (visuel, auditif et écrit), le sous-titrage pourrait influencer l'apprentissage. Danan (1995) rapporte une étude, fondée sur trois expérimentations consécutives, à la suite de laquelle elle conclut que l'utilisation des sous-titres inversés (audio en L1 – langue maternelle – et sous-titres en L2 – langue seconde) sont utiles à l'acquisition du vocabulaire et que les sous-titres en présentation bimodale (audio en L2 et sous-titres en L2) offrent des pistes intéressantes pour l'apprentissage des langues, du fait du lien direct entre le support auditif et visuel et de la préséance de la présentation visuelle. Garza (1991) avait analysé les effets de ce type de sous-titres intralangue (audio en L2 et sous-titres en L2) chez les étudiants de niveau avancé et avait conclu qu'ils pouvaient favoriser l'apprentissage. Même si ce type de sous-titres était d'abord réservé aux malentendants, les téléviseurs actuels de qualité moyenne et haut de gamme fournissent un décodeur en permettant l'accès. Sur le plan des applications pédagogiques, Vanderplank (1993) suggère l'utilisation des émissions sous-titrées avec des apprenants des niveaux intermédiaire et avancé pour des séries policières, des documentaires, des bulletins d'informations et des comédies.

D'Ydewalle et Pavakanun (1996) rapportent une expérience, menée auprès de sujets (jeunes Néerlandais) ayant une longue expérience du sous-titrage, dans le but d'analyser l'effet de divers types de sous-titres sur l'apprentissage de l'espagnol (vocabulaire, structure phrastique et compréhension). Les sous-titrages inversé et ordinaire ont produit les meilleurs résultats, mais avec une différence marquée pour le sous-titrage inversé. Il s'agit d'un apprentissage indirect, puisque les sujets n'étaient pas conscients des objectifs de l'étude. Les auteurs concluent qu'avec le sous-titrage inversé, on lit les sous-titres (parce qu'on ne peut y échapper) et on écoute la bande sonore pour saisir ce qu'on regarde. Ces sujets ont également fait des apprentissages avec les sous-titres habituels, peut-être du fait qu'ils ont l'habitude de lire des sous-titres, ce qui ne distrait pas leur attention.

Après une analyse de diverses études sur l'effet du sous-titrage pour le développement de la compréhension auditive, Pusack et Otto (1995) rapportent qu'en général, leur utilisation entraîne un gain important en compréhension et en vocabulaire.

1.3 Le laboratoire de langues

La technologie la plus généralement associée à l'enseignement des langues est le laboratoire de langues, pour lequel nous présenterons un bref historique et diverses pistes d'exploitation pédagogique.

1.3.1 Un aperçu historique

Lorsque le laboratoire de langues a vu le jour, au début des années 50 (le premier étant celui de l'Université de l'État de la Louisiane), ce n'était qu'une juxtaposition de cabines munies de magnétophones à bande et d'écouteurs, parfois gérés par une console, où les apprenants écoutaient des séquences sonores pour ensuite les imiter le mieux possible ou y répondre selon le modèle suggéré dans l'exercice. L'ère des méthodes audio-orales et audiovisuelles des années 50 et 60 a donné un coup d'envoi au laboratoire de langues; toute institution d'enseignement se devait d'en posséder un.

Or, avec le changement de cap vers les méthodes communicatives des années 70, le laboratoire de langues a perdu son ascendant dans le monde de la didactique des langues, puisqu'il était synonyme d'exercices mécaniques. Cependant, on a vu peu à peu réapparaître le laboratoire de langues sous une autre forme: le laboratoire multimédia des années 80, avec des équipements audio, vidéo et des ordinateurs couplés à des lecteurs de vidéodisques, qui offre diverses ressources pour l'apprentissage des langues, spécialement pour le développement de la compréhension auditive. Selon Helot (1989), ce changement vers les technologies plus nouvelles a nui à l'exploitation maximale des ressources du laboratoire de langues traditionnel.

1.3.2 L'exploitation pédagogique

Les activités d'exploitation du matériel audio et vidéo peuvent se faire au laboratoire de langues, soit de façon individuelle, soit en petits groupes. L'avantage de l'utilisation du laboratoire est que l'apprenant travaille à son propre rythme, répète autant de fois qu'il le veut l'audition d'un segment. L'utilisation d'enregistrements audio comme *Champs-Élysées, Puerta del Sol* ou *Acquarello Italiano* peut se faire au laboratoire de langues, où l'apprenant a toute la flexibilité de les exploiter. Lorsque le travail se fait en petits groupes, les apprenants collaborent et peuvent tirer profit des stratégies et des découvertes de leurs pairs. L'écoute d'une séquence vidéo de longue durée pourra se faire au laboratoire de langues pour, d'une part, éviter de perdre du temps en classe et, d'autre part, permettre aux apprenants d'écouter les documents en fonction de leurs difficultés.

Même si le laboratoire, avec ses exercices de répétition et de mécanisation, n'amenait pas les apprenants à communiquer, ces mêmes exercices en classe ne le faisaient pas non plus! Un sondage mené en 1983 en Allemagne révélait que les enseignants utilisaient le laboratoire de langues d'abord pour des exercices d'imitation, puis pour des exercices structuraux et, en troisième lieu, pour des activités de compréhension. Ely (1984) propose divers types d'activités de compréhension que l'étudiant peut effectuer au laboratoire de langues, qui permet une meilleure audition des séquences sonores étant donné le port des écouteurs. L'étudiant peut écouter une séquence sonore qui nécessite une simple réponse graphique, la discrimination entre des énoncés, le décodage d'indices, le jugement d'un locuteur, un commentaire sur la production d'un collègue, une intervention orale minimale et prévisible. En fait, le laboratoire de langues peut permettre la réalisation d'activités précommunicatives.

Dans un laboratoire multimédia, l'apprenant a accès à divers matériels informatiques (CD-ROM, didacticiel, vidéodisque, Internet) ou non (enregistrement audio et vidéo) permettant de développer sa compréhension auditive. L'exploitation pédagogique des supports informatiques présentés ci-après pourra se faire au laboratoire multimédia.

1.4 Les supports informatiques

C'est par un bref aperçu historique des supports informatiques utilisés en didactique des langues que nous débuterons cette partie. Nous verrons ensuite diverses pistes d'exploitation pédagogique et présenterons les résultats de quelques recherches où ces outils ont été utilisés.

1.4.1 Un aperçu historique

Les premiers produits informatisés à apparaître (système PLATO, par exemple) reprenaient le format des exercices mécaniques sans contextualisation. Des didacticiels de dictée, comme *Dictate* (Mydlarski et Paramskas, 1985) ou la dictée musicale proposée par Pavanini (1993) pour l'italien, ont été utilisés à des fins de compréhension auditive. Certains produits ont été développés à partir de l'utilisation d'une bande vidéo gérée par ordinateur (*Interactive News*, Meinhof, 1990) mais sans beaucoup de succès. C'est avec l'augmentation des capacités de mémoire des ordinateurs, pouvant emmagasiner des séquences sonores sur disque rigide, la venue des vidéodisques interactifs et des disques compact ainsi que la numérisation de l'information, que l'exploitation pédagogique des supports informatiques pour développer la compréhension auditive a été rendue réellement possible.

Au début des années 70, lorsque a été conçu un dispositif pouvant reproduire des images couleurs de télévision, des centaines de compagnies d'électronique à l'échelle mondiale ont entrepris des projets de recherches en vue d'en étudier les possibilités (Mole et Langham, 1982). C'est de ces recherches qu'est né le *vidéodisque*. Mais ce n'est que vers 1975 que celui-ci a commencé à être exploité à des fins d'apprentissage, et, lorsqu'il a été couplé à l'ordinateur, on a pu en exploiter les avantages pédagogiques.

Le vidéodisque a permis de résoudre des problèmes d'emmagasinage du son et des images. Ainsi, sur chaque face d'un vidéodisque sont stockées 54 000 images et deux pistes sonores d'une durée maximale de 30 minutes chacune. Chaque image possède une adresse, est repérable de façon immédiate et est lue par un rayon laser. Un lecteur de vidéodisques fait la lecture du disque, une carte vidéo assure la compatibilité entre ce lecteur et l'ordinateur, et un moniteur vidéo permet le visionnement. Le vidéodisque permet l'accès à des séquences vidéo, à des images fixes et à des enregistrements sonores de haute qualité. Sa durabilité constitue un autre avantage par rapport à la vidéo; le vidéodisque ne se détériore pas avec l'usage. Toutefois, il est impossible d'enregistrer sur vidéodisque comme on le fait sur vidéo. Le pressage du vidéodisque est un processus complexe, coûteux et irréversible.

D'abord utilisé pour des produits grand public (long métrage, film d'art, opéra, concert, spectacle de variétés, formation continue), le vidéodisque a été le support de certaines applications pour l'enseignement des sciences pures et des sciences appliquées (Bush et Crotty, 1989), avant de servir à l'enseignement des langues. Les premières utilisations en didactique des langues, comme le rapporte Compte (1987), ont été des produits grand public détournés au profit de l'enseignement des langues, comme le *Video-book of Sports*, *Live Elton John* ou le disque de Van Gogh, ou des banques de données vidéo, comme BASILIC (*Base d'images à lecture interactive*).

Cependant, la préparation à l'utilisation de ces produits pouvait rebuter plus d'un professeur, puisqu'il fallait annoter le disque (identifier les images et leur adresse). Les produits de formation continue, destinés en premier lieu aux employés d'entreprise, ont été également détournés à des fins de formation linguistique, en particulier pour la langue de spécialité. Bush et Crotty (1989) rapportent une première application de vidéodisque pour l'enseignement de l'anglais, langue de spécialité, intitulé *Skillpac: English for Industry*.

Les premiers projets à voir le jour pour l'enseignement des langues étrangères ont été *Macario* et *Montevidisco* (Gale, 1989; De Montgomery, 1984), pour l'espagnol, *German Gateway* dans le cadre du projet VELVET (*Video Enhanced Learning, Video Enhanced Testing*) pour l'allemand, *Danger Mission* et *Getting the Message* pour l'anglais, et *Peau d'âne* pour le français. On note également, pour le français, les vidéodisques *Ensemble*, *Avec plaisir* et *Entrée libre*, qui sont des productions vidéo remontées sur support vidéodisque. Cependant, comme le souligne Compte (1987), le simple changement de support ne peut tirer profit des avantages d'une nouvelle technologie. Moisan (1986) et Rubin (1990) dressent la liste des vidéodisques existants pour l'enseignement des langues au moment de la parution de leurs articles respectifs. Comme la production d'un vidéodisque géré par ordinateur représente un processus laborieux et coûteux, et que cette technologie ne s'est pas généralisée, les enseignants s'y sont peu familiarisés.

Même si, lors de son apparition, on avait cru que le vidéodisque s'implanterait sur le marché domestique, ce ne fut pas le cas. Ce peu de succès est peut-être relié au coût élevé du lecteur de vidéodisques et au petit nombre de vidéodisques produits. Toutefois, certains longs métrages existent en format vidéodisque et peuvent être détournés à des fins de formation linguistique. Il en est ainsi de *Como agua para chocolate* en espagnol, *Orfeu Negro* en portugais, pour n'en nommer que deux.

PICS distribue sur support vidéodisque des films commerciaux à des fins de formation linguistique (français, espagnol, allemand), en fournissant souvent la transcription de la bande sonore et des suggestions d'exploitation. Le vidéodisque est maintenant une technologie en perte de vitesse, et les applications sont maintenant transférées sur CD-ROM, support plus économique, plus facile à gérer, plus stable sur le plan technique et directement intégré à l'ordinateur.

Le CD-ROM permet de mettre en mémoire des quantités énormes de texte, des extraits sonores et des séquences vidéo. Toutefois, la qualité des séquences vidéo laisse encore à désirer, et le stockage des images doit être limité à de courtes séquences. Le disque compact est maintenant le support le plus utilisé pour l'emmagasinage du son, et son utilisation à grande échelle pour la vidéo est imminente.

Des *systèmes-auteurs* permettent aux enseignants de développer leur propre programme de compréhension auditive. Il en est ainsi de *CartSuite*, de *VoiceCart* ou de *Guided Reading*, qui permettent à l'enseignant de préparer, à partir de documents sonores ou audiovisuels, des activités reliées directement au programme d'enseignement, selon les difficultés des apprenants.

On propose des activités de compréhension auditive sur certains *sites Web* offrant l'accès à des séquences sonores. Ces activités suivent le format que l'on retrouve habituellement dans les méthodes d'enseignement combinant textes et séquences sonores. Ces activités, d'abord élaborées dans le cadre d'un cours, sont mises à la disposition d'un public élargi. L'accès à ces activités nécessite l'utilisation de programmes informatiques qu'il est souvent possible de télécharger à partir du réseau Internet. La recherche à l'aide d'outils de recherche, comme *Lokace*, *La toile du Québec*, *Sympatico*, *Youpi* ou *Alta Vista*, permettra de trouver des sites Web présentant ce type d'activités, selon les langues enseignées.

De plus, la constitution de banques de données linguistiques, comme celle de l'Université Carnegie Mellon, sous la direction de Jones, pour le japonais, le français, l'espagnol, l'allemand et le russe, fournit à l'étudiant, à partir d'un site Web, l'accès à des productions orales authentiques et à l'enseignant une source de données à exploiter.

1.4.2 L'exploitation pédagogique

Les avantages des supports informatiques (didacticiel, vidéodisque interactif, disque compact) pour le développement de la compréhension auditive sont:

- la présentation multimodale (texte, son, vidéo) facilitant l'accès au sens;
- l'enseignement individualisé avec des branchements correspondant aux difficultés des apprenants;
- des rétroactions immédiates appropriées aux réponses des apprenants;
- l'accès à des options: glossaire, dictionnaire, lien hypertexte pour l'accès à des définitions ou à des explications grammaticales ou lexicales, transcription ou sous-titre, commentaire, piste sonore supplémentaire, aperçu général du programme;
- la gestion des résultats;
- le relevé et la mise en mémoire des parcours.

Le vidéodisque, tout comme le disque compact, assure le repérage rapide et exact d'une séquence vidéo ou audio pour des écoutes successives (sans danger d'abîmer la bande maîtresse). Sa haute qualité visuelle et sonore en fait un outil attrayant pour l'apprentissage. Les rétroactions peuvent être sous forme textuelle, mais également sous forme sonore ou visuelle. Dans les produits plus récents, un contrôle plus grand est laissé à l'utilisateur, tout en soutenant ceux qui voudraient être guidés dans leur apprentissage. Brett (1995) inclut une option d'aide qui guide l'apprenant dans son cheminement, en proposant des stratégies pouvant l'aider à développer sa compréhension auditive, sa compétence grammaticale ou lexicale.

Murray (1990) identifie trois types de vidéodisques: les fictions narratives, comme *À la rencontre de Philippe* (que nous présentons ci-après) ou *Danger Mission* et *Getting the Message*, décrits par Jones (1987), les documentaires interactifs (*Dans un quartier de Paris*), qui présentent divers points de vue sur un élément, et les hypertextes/hypermédias qui constituent des banques de données textuelles ou vidéo présentant des éléments linguistiques, historiques ou fonctionnels. Alors que les premiers didacticiels présentaient des séquences audio très courtes (étant donné la capacité de mémoire réduite des disques rigides) suivies de questions de compréhension, les nouveaux produits numérisés peuvent présenter des séquences audio et vidéo de grande qualité et de durée suffisante pour fournir un apport langagier adéquat.

Montevidisco, un des premiers vidéodisques pour l'enseignement des langues, est fondé sur la simulation d'une visite d'un touriste nord-américain dans un village mexicain. L'apprenant entend une intervention et doit choisir une option (en espagnol) parmi celles qui lui sont proposées sur l'écran pour poursuivre l'interaction. Il est à noter que toutes les options sont valables: plus de 1 100 possibilités existent, soit plus de 4 000 branchements (Gale, 1989). Chaque option amène l'utilisateur à des situations différentes. Dans certains cas, des choix différents peuvent amener une même interaction (par exemple, une course en taxi). Pour faciliter la compréhension auditive, l'apprenant peut écouter une deuxième piste sonore, qui présente le même contenu sous le couvert d'une amie qui reformule le texte dans un langage plus simple. Il peut également avoir accès au dictionnaire et au texte des options, en anglais, moyennant une certaine pénalité. Il faut ajouter que le contenu culturel de *Montevidisco* est fort riche. La face A du disque s'adresse à des étudiants, alors que la face B s'adresse à des étudiantes avec des situations différentes.

Vi-Conte, un vidéodisque produit au Canada et conçu pour l'apprentissage du français, vise le développement de la compréhension d'une narration fondée sur le film *Crac!* de Back, par des questions de compréhension et des exercices lacunaires portant sur le contenu de la narration.

Il faut également mentionner *À la rencontre de Philippe*, un produit conçu pour l'enseignement du français dans le cadre du projet *Athena Language Learning* (*Massachusetts Institute of Technology*). Ce programme prend la forme d'une fiction narrative pour créer un contexte d'acquisition dans lequel l'utilisateur aide Philippe dans la solution de ses problèmes: réconciliation avec sa petite amie, mise au point d'un article de journal, recherche d'appartement en consultant les petites annonces, en écoutant les messages reçus au répondeur et les descriptions fournies par l'agent de location. L'apprenant est mis dans un contexte d'utilisation et non pas de réflexion sur la langue en se servant des fonctionnalités d'une caméra subjective. Le vidéodisque *No recuerdo*, produit pour l'enseignement de l'espagnol dans le cadre du même projet, est fondé sur le scénario d'un savant devenu accidentellement amnésique que l'on doit aider à retrouver la mémoire par l'accès à diverses séquences de conversations effectuées avant son accident. Toutefois, ce dernier produit n'a pas encore été distribué commercialement.

Le programme d'espagnol *Éxito*, élaboré par le *Federal Language Training Laboratory* des États-Unis, s'adresse à des apprenants adultes de niveau débutant et propose, entre autres, des activités de compréhension auditive. Chaque leçon (le programme en compte 10) commence par un dialogue dans lequel les interlocuteurs s'expriment avec un débit légèrement plus lent que la normale et dans lequel des indices visuels, textuels et paralinguistiques transmettent une grande partie du contenu informatif. Ainsi, la première leçon commence par des informations sur le budget où les congénères (mots qui ont une parenté orthographique dans deux langues, comme *éducation* en français et *educación* en espagnol) peuvent grandement aider à la compréhension. Tout au long de la leçon, des activités de reconnaissance, de décodage, de repérage et d'association favorisent le développement de la compréhension auditive. Sur le même modèle, le laboratoire a développé un programme d'apprentissage du français avec *C'est très facile*, de l'arabe avec *Al-Mumtaaz* et du russe avec *Korosho*.

Le programme *Vidas y voces interactivos: Mexico Vivo* pour l'enseignement de l'espagnol, développé dans le cadre du projet FLAME (*Foreign Language Applications in the Multimedia Environment*) à partir du film du même nom, produit par la BBC, contient une composante d'apprentissage autonome (*Learner's Partner*) et une composante de salle de classe (*Teacher's Partner*). Ces deux composantes comprennent des activités de compréhension auditive axées tantôt sur des éléments linguistiques, tantôt sur des éléments culturels. Dans le cadre du même projet, le programme multimédia *El espejo enterado* exploite des aspects culturels.

La langue des affaires est traitée dans les programmes multimédias sur disque compact *À la recherche d'un emploi* et *L'acte de vente,* produits pour l'enseignement du français au niveau intermédiaire dans le cadre du projet européen CAMILLE (*Computer Aided Multimedia Interactive Language Learning Environment*). Pour l'anglais, le programme *An Introduction to a British Company*, décrit par Brett (1995), tire profit du multimédia pour traiter la langue des affaires à partir d'un document vidéo de 20 minutes divisé en segments et portant sur la gestion d'une brasserie. Ces programmes sont fondés sur des enregistrements de discours authentiques produits par des gens d'affaires et repris par des comédiens professionnels. De nombreuses activités de compréhension et de décodage sont proposées aux apprenants, tenant compte des phases de pré-écoute, d'écoute et d'après-écoute.

Pour l'exploitation des éléments kinésiques et proxémiques, Fidelman (1992) a produit un vidéodisque intitulé *In the French Body* pour l'enseignement du français et une version parallèle pour l'allemand, intitulée *In the German Body,* où des séquences vidéo présentent divers types d'interactions et les comportements non verbaux qui leur sont associés.

Surtout utilisés en apprentissage autonome ou en petits groupes dans un laboratoire multimédia, les supports informatiques peuvent aussi servir à l'enseignement en groupe-classe. *À la rencontre de Philippe*, *Vi-Conte* et *Mexico Vivo* proposent une méthodologie d'exploitation en groupe-classe. Le repérage exact d'une séquence vidéo à l'aide des codes à barres permet une utilisation efficace en classe sans perte de temps.

1.4.3 Les recherches

Bush et Crotty (1989) rapportent de façon succincte les résultats de recherches ayant recours au vidéodisque interactif. Que ce soit pour l'allemand (*Klavier im Haus*), le français (*De vive voix*) ou l'espagnol (*Zarabanda*), les résultats sont supérieurs pour le groupe expérimental qui a utilisé le vidéodisque. Il en va de même pour Gale (1989), qui rapporte les résultats de quatre recherches menées avec un groupe expérimental utilisant les vidéodisques interactifs *Macario* et *Dígame* et un groupe témoin utilisant la version vidéo. Les résultats du groupe expérimental sont toujours supérieurs. Quant à *Montevidisco*, malgré l'intérêt que présente encore ce programme, aucune étude comparative n'a été menée puisque, étant conçu pour une période de deux à quatre heures de travail, il ne saurait générer des gains importants en compréhension auditive.

Depuis 1984, la *U.S. Naval Academy* s'intéresse au vidéodisque interactif et en a produit à partir d'émissions de télévision captées par satellite pour lesquelles elle a obtenu les droits d'utilisation. Une recherche longitudinale encore en cours au moment de la parution de l'article de Fletcher (1990) compare les résultats de 300 sujets apprenant l'espagnol, dont la moitié (groupe expérimental) a travaillé avec un vidéodisque interactif une période par semaine pendant quatre ans, alors que le groupe témoin a utilisé des enregistrements audio ou vidéo conventionnels. Fletcher observe que les sujets du groupe expérimental semblent faire des progrès plus rapides que ceux du groupe témoin.

Même si les supports informatiques permettent de tenir compte du style d'apprentissage des utilisateurs, peu de produits le font, faute de moyens et de recherche dans ce sens. Par exemple, les résultats de l'étude de Liu et Reed (1994) indiquent que les sujets de style cognitif global ont davantage accès à l'image, alors que les sujets de type analytique utilisent les options associées au mot pour en comprendre le sens. Il apparaît donc nécessaire de fournir diverses options et d'orienter les utilisateurs vers celles qui leur seraient le plus profitables ou de fournir, comme le proposait Meskill (1991), des messages d'aide sur les stratégies à utiliser pour ceux qui sont moins habiles à apprendre. Même si, jusqu'à maintenant, les recherches en intelligence artificielle n'ont pas eu de retombées pédagogiques importantes, elles permettront peut-être de produire des tuteurs intelligents qui s'adapteront aux stratégies de leurs utilisateurs. Les recherches sur les stratégies d'apprentissage dans les environnements multimédias apporteront peut-être des solutions dans ce sens en favorisant la production d'outils mieux adaptés aux apprenants.

Conclusion

La compréhension auditive, longtemps oubliée par les didacticiens, est maintenant mise en évidence. Les technologies peuvent jouer un rôle important en facilitant l'accès à des documents divers permettant le développement de la compréhension auditive. Grâce à une sélection judicieuse des documents, à une présentation adéquate et à une pédagogie adaptée, on tirera profit de ces moyens éducatifs. La vidéo et ses sous-produits (vidéodisque, CD-ROM, sous-titre) favorisent l'utilisation d'images authentiques, actuelles et variées comme support à l'audition de séquences sonores susceptibles d'aider le développement de la compréhension.

Notes

1. L'hypermédia associe par des liens plusieurs couches de média (texte, son, image, animation). Ce mot est dérivé du mot hypertexte, créé par Nelson en 1965, qui signifie une «présentation de l'information qui permet une lecture non linéaire grâce à la présence de liens sémantiques activables dans les documents» (Office de la langue française).
2. On trouve en français les notations W3, WWW et Web pour signifier *World Wide Web*. Nous opterons pour la notation Web, qui est acceptée par l'Office de la langue française, et nous nous référerons à un site Web pour localiser une source dans le réseau Internet.
3. http://www.learner.org/collections/multimedia/ languages/fiseries/fifall97.html
4. http://www.scola.org/
5. http://www.cmec.ca/copyrght/copyrght.htm
6. http://www.indiana.edu/~ccume/about.html
7. Lancien (1986) propose quatre types de rapport: contradiction, distanciation, critique et surdétermination.
8. Aux chapitres 5 et 6, nous ferons mention de ces diverses ressources.

Chapitre 2

Les technologies et l'expression orale

L'expression orale a été pendant une longue période l'objectif principal de la formation linguistique. Avec les méthodes audio-orales, structuro-globales-audio-visuelles et situationnelles, on visait l'expression orale en priorité, et les technologies, spécialement le laboratoire de langues, jouaient un rôle important. On a vu, par exemple, chez les tenants de l'approche structuro-globale-audio-visuelle (SGAV), qui préconisaient la méthode verbo-tonale de correction phonétique, un intérêt pour l'utilisation du SUVAG Lingua (Système-universel-verbo-auditif-Guberina) pour l'apprentissage de la prononciation[1]. La vidéo, servant surtout au développement de la compréhension auditive, pouvait être utilisée à l'occasion pour l'expression orale. D'autre part, les supports informatiques utilisés pour l'expression orale ont surtout servi au développement de la prononciation, mais certaines applications invitent les apprenants à produire oralement. Les recherches en reconnaissance de la parole auront sûrement des répercussions sur la production de matériel didactique invitant les apprenants à produire.

Comme en compréhension, on peut distinguer, selon Pennington et Esling (1996), trois phases dans le processus d'apprentissage de l'expression.

- La *préproduction,* où l'apprenant se prépare par des exercices de prononciation, d'acquisition lexicale, grammaticale et syntaxique, d'organisation de la structure et du contenu de sa présentation.

- La *production*,.où l'apprenant s'exécute et met en œuvre ses habiletés. Il s'autoévalue au fur et à mesure de sa production et fait les ajustements qu'il juge nécessaires ou qui lui sont suggérés par ses interlocuteurs.
- La *postproduction,* où l'apprenant évalue sa performance et fait les apprentissages nécessaires pour remédier à des problèmes identifiés.

Tout au long de ce processus, les ressources technologiques peuvent servir d'appui: c'est ce que nous verrons dans ce chapitre, en examinant les ressources disponibles et leur utilisation pour le développement de l'expression orale.

2.1 Les ressources audio

Comme nous l'avons indiqué au chapitre précédent, les enregistrements audio (disques, bandes magnétiques et cassettes) ont tôt fait partie de l'arsenal du professeur de langues. Toute méthode d'enseignement se devait d'être accompagnée d'enregistrements audio, qui ont d'abord servi à développer la prononciation. Ainsi, l'apprenant écoutait une séquence sonore (signifiante ou non signifiante – logatomes) et la répétait aussi fidèlement que possible, en suivant le rythme et l'intonation.

L'utilisation de ces ressources audio ne permettait pas de dépasser la phase de préproduction avec des exercices de prononciation sous la forme de répétition et d'exercices de discrimination auditive, particulièrement à partir de paires minimales (*bu/pu*). C'est au laboratoire de langues qu'on utilisait surtout les ressources audio.

2.2 Le laboratoire de langues

Nous commencerons par un court rappel historique de l'utilisation du laboratoire de langues pour le développement de l'expression orale, avant d'examiner divers moyens d'exploitation de cette ressource technologique.

2.2.1 Un aperçu historique

De Bot (1980) fait une rétrospective des moyens technologiques utilisés spécialement dans des laboratoires pour la rééducation de la parole et l'enseignement de la prononciation (*Language Master*, *SUVAG Lingua*, *Kymograph*, *Phonautograph*, *Phonoskop*, *Strobilion*, *Lalograph*, *Visible Speech Translator*, *Glottograph*, *Spectograph*, *Vowel Corrector*, *Speech Visualizer*). Il remonte à Bell, en 1874, qui fut le premier à proposer un visualisateur de parole.

Pour l'enseignement de l'intonation, James, en 1976, proposait un visualisateur de mélodie qui permettait à l'apprenant de voir la courbe modèle d'un énoncé et sa courbe intonative produite. Cependant, Knoerr (1994) juge que le matériel était trop lourd, difficile à manipuler pour les apprenants, et fournissait des tracés trop complexes.

Au laboratoire, l'apprenant utilisait, en phase de préproduction, des enregistrements audio à partir desquels il faisait des exercices de prononciation, d'intonation et de discrimination auditive qui, à long terme, devaient servir à améliorer son expression orale. La première étude à comparer l'utilisation du laboratoire de langues (du moins ce qu'on appelait laboratoire à cette époque) avec l'enseignement en classe remonte à 1932, où Waltz a démontré la supériorité de l'enseignement de la prononciation au laboratoire, étant donné l'individualisation et l'intensité de l'enseignement, les répétitions nombreuses et la présence d'un modèle de locuteur natif.

2.2.2 L'exploitation pédagogique

Le laboratoire était d'abord réservé à la pratique de la prononciation sous la forme de répétition de séquences sonores et d'exercices de discrimination auditive. Les exercices structuraux, qui devaient préparer l'expression orale, étaient également largement utilisés au laboratoire de langues. On croyait, selon la philosophie behavioriste, que la répétition de phrases bien construites et la manipulation bien orchestrée des structures de la langue étaient la garantie d'une production orale exempte d'erreurs. Lorsqu'il est devenu évident qu'on ne pouvait se fier aux promesses de cette approche, le laboratoire de langues a perdu son ascendant en didactique des langues.

Toutefois, comme l'indique Ely (1984), il est possible de tirer profit des ressources du laboratoire de langues à des fins de production orale. Il suggère, par exemple, que les apprenants effectuent des productions orales (décrire un objet, un bruit, une personne ou un itinéraire, donner des directives pour la construction d'un graphique ou d'un objet, raconter ou étoffer une histoire, réagir à un énoncé, répondre à un interrogatoire) et qu'ils changent de cabine pour écouter les productions de leurs collègues, les commenter, les comparer ou y réagir. Le laboratoire de langues peut également servir à simuler une conversation téléphonique, puisqu'il recrée le cadre réel d'une communication téléphonique, où les interlocuteurs n'ont accès qu'à des informations verbales. Paramskas (1981) propose des activités de production orale où l'apprenant enregistre sa production sur la première piste et où l'enseignant propose une correction sur la deuxième piste, que l'apprenant peut écouter à volonté. De telles activités favorisent une utilisation plus dynamique du laboratoire de langues en phase de production et de postproduction.

Le programme *INTOLANG*, décrit par Knoerr (1994), mais proposé par Alliaume, en 1991, à partir de la notion de spécificité des hémisphères cérébraux pour la perception des courbes intonatives, constitue une application technologique appropriée à l'enseignement de l'intonation.

2.3 Les ressources vidéo

Comme nous avons déjà traité de l'historique de la vidéo, nous nous limiterons maintenant à l'exploitation pédagogique de ce moyen technologique à des fins d'expression orale.

2.3.1 L'exploitation pédagogique

Alors que la vidéo a servi d'abord à des fins de compréhension auditive, la venue du caméscope[2] et, surtout, sa miniaturisation et sa facilité d'utilisation en ont fait un outil d'enseignement accessible. Le professeur ou les apprenants eux-mêmes utilisent le caméscope pour enregistrer leurs productions et les analyser par la suite. Les ouvrages didactiques portant sur l'utilisation de la vidéo consacrent généralement une section à la production orale. Outre les aspects logistiques (préparation de l'équipement, planification des étapes, des procédures, vérification des cassettes) et techniques (son, éclairage, cadrage, création de titres), on traite les aspects pédagogiques.

Lancien (1986) suggère diverses activités de production orale ayant recours à la vidéo: produire le commentaire d'une bande vidéo, discuter des suites possibles à un scénario présenté sur vidéo, imaginer et produire un dialogue à partir d'une séquence vidéo (sans son) et le comparer à la production originale, produire un récit libre ou dirigé d'une séquence vidéo.

Lonergan (1984), Allan (1985) et Cooper *et al.* (1991) proposent diverses activités d'expression orale ayant recours au caméscope pour enregistrer les productions orales des apprenants: un rapport de recherche, la narration d'un événement ou d'une activité, une entrevue spontanée, un jeu, un jeu de rôle ou une simulation. L'enregistrement d'une production orale incite l'apprenant à faire des efforts pour réaliser une production de meilleure qualité. Toutefois, il ne s'agit pas pour l'apprenant de mémoriser son rôle, mais d'intervenir de façon spontanée en s'aidant de notes ou d'un cadre fonctionnel d'intervention. Outre des activités d'expression orale, Compte (1993) et Lonergan (1984) offrent des suggestions techniques pour l'utilisation efficace du caméscope, la création de documents audiovisuels et leur évaluation.

En phase de postproduction, le plus tôt possible après l'enregistrement, le visionnement s'impose pour soutenir la motivation des apprenants. Toutefois, il sera parfois utile de ne choisir que quelques segments pour un visionnement collectif et de laisser le choix aux apprenants de visionner l'ensemble de la production au laboratoire.

L'analyse des productions orales doit se faire dans le but d'évaluer l'acte de communication (intégrant les aspects kinésiques et proxémiques), et non pas le jeu scénique ou les techniques visuelles. L'analyse n'a pas pour but de relever toutes les fautes linguistiques, ce qui aurait pour effet de nuire aux sessions de production subséquentes et de rendre cette étape trop laborieuse. Une grille d'analyse mettant l'accent sur des contenus spécifiques, la transmission du message, des aspects linguistiques, sociolinguistiques ou stratégiques à l'étude pourra orienter l'observation des séquences enregistrées et la discussion. L'analyse peut se faire en petits groupes ou en groupe-classe, de façon à favoriser l'apprentissage et non pas à exposer les apprenants à des situations délicates. On peut même conserver les enregistrements pour comparer les progrès des apprenants sur une période de temps donnée.

La vidéocorrespondance, une activité pédagogique qui a été initiée au BELC (Bureau pour l'enseignement de la langue et de la civilisation), en 1982, dans laquelle les correspondants (des apprenants) échangent des cassettes vidéo (au lieu de lettres), favorise la réalisation d'un produit qui, au même titre qu'une lettre, sera vu par un public désireux de prendre connaissance du contenu. Pour l'apprentissage du français, Dominguez (1993), et Camilleri et Morelli (1992) décrivent des expériences d'utilisation de cette technique et en exposent les avantages et les inconvénients. Les mêmes principes ont été appliqués à la réalisation d'un projet de roman-photo franco-espagnol présenté par Alvarez de Eulate et Del Rey Belinchon (1996). Deux groupes d'étudiants (français et espagnols) ont produit des documents vidéo dans leur langue maternelle et les ont échangés. Du côté américain, la vidéocorrespondance est mieux connue sous le nom de journal vidéo, où des échanges de documents vidéo ont lieu entre classes (L1-L2 ou L2-L2).

2.4 Les supports informatiques

Comme pour les ressources audio, les créateurs de matériel didactique informatisé ont d'abord visé la prononciation. Toutefois, les nouveaux programmes multimédias permettent maintenant à l'utilisateur d'enregistrer ses productions orales, de les comparer au modèle et, dans certains cas, d'en faire l'analyse. Les technologies utilisées en audiologie, en orthophonie et en pathologie du langage sont réinvesties en didactique des langues. Certains programmes permettent, par exemple, de comparer la séquence produite au modèle. La numérisation de la parole, maintenant rendue possible sans ajout d'instruments trop coûteux, saura sans doute influencer les progrès dans le développement de programmes didactiques favorisant l'expression orale.

Plusieurs recherches traitent des progrès en expression orale des apprenants travaillant avec des supports informatiques, soit les interactions entre des pairs au moment de l'activité, soit la production à la suite de l'utilisation d'un didacticiel.

2.4.1 La prononciation et l'intonation

Les produits proposés sur support informatique permettent le développement de la prononciation et de l'intonation. Un ordinateur muni d'une carte vocale, couplé à un analyseur de parole et à un microphone, et doté d'un logiciel approprié, peut fournir des graphiques permettant à l'apprenant de modeler sa prononciation d'un mot ou son intonation d'un énoncé à l'exemple donné. Ces dispositifs, conçus d'abord pour la rééducation du langage, peuvent être utilisés pour l'enseignement des langues. Les graphiques produits avec le *Kay Elemetrics Visi-Pitch*, le *Computerized Speech Lab*, le *SpeechViewer* ou le *Video Voice* rendent possibles la visualisation et la mise en mémoire des énoncés produits. Les graphiques indiquent l'amplitude et la hauteur du son produit et illustrent le rythme et l'intonation d'une séquence sonore. Il est également possible de comparer des productions sonores dans le temps, puisqu'elles peuvent être sauvegardées.

St. John (1996) a utilisé le *Video Voice* avec des étudiants d'anglais L2 de l'Université d'Ottawa. Ce logiciel présente une interface en anglais, en français et en espagnol, rendant son utilisation possible avec des apprenants de diverses langues maternelles. Toutefois, le spectre vocalique n'existe à ce jour que pour l'anglais. Malandain (1990) décrit le module *Orphon*, qui fournit aussi une représentation graphique des séquences sonores produites. Le système *SPELL* (un produit européen), décrit par Hiller *et al.* (1993), propose à l'utilisateur des séquences sonores en démonstration, évalue son habileté à entendre les distinctions phonétiques, lui permet la pratique de la production et évalue sa capacité à prononcer les séquences sonores. L'appareil *Kay Elemetrics Sona-Match* permet l'analyse des voyelles et la localisation de la production d'une voyelle dans le spectre des voyelles. Des appareils comme *MacSpeech Lab* et *Signalize* effectuent ce type d'analyse, mais en indiquant seulement si les séquences sonores sont conformes au modèle. Si elles diffèrent, l'utilisateur n'obtient pas d'explication sur l'effet de la différence: a-t-il produit un autre son ou une variation acceptable, sans distinction de sens?

Des didacticiels visent l'apprentissage de la prononciation. Certains mettent l'accent sur la phonétique articulatoire, comme *American Accent Program* pour l'anglais. *The Rhythm of French*[3], conçu par Rochet, de l'Université de l'Alberta, vise l'enseignement du système phonétique du français. Ce didacticiel amène les apprenants à percevoir les contrastes entre le français et l'anglais sur le plan du rythme et de la syllabation, à s'approprier la prononciation des phonèmes du français, à reconnaître les contours intonatifs et à se familiariser avec certaines variantes dialectales. Même si l'apprenant est amené à produire, ce n'est que par la comparaison avec le modèle donné qu'il peut se corriger. Il en est ainsi des didacticiels comme *Pronunciation Tutor* en espagnol, en français et en allemand; *Kirillitsa: a Russian Alphabet Tutorial,* qui propose des activités de prononciation, en plus du tutoriel sur l'alphabet cyrillique; *SpeechWorks*, *Speech Assist* et *Pronunciation Plus* font de même pour l'enseignement de l'anglais.

Knoerr (1994) propose l'élaboration d'un didacticiel pour l'enseignement de l'intonation à partir d'un préessai indiquant l'utilité d'une sensibilisation à la courbe intonative du français. L'auteure définit le cadre d'élaboration d'un didacticiel ouvert (l'enseignant pouvant intégrer les phrases à répéter) ayant recours à une carte vocale permettant l'enregistrement de l'énoncé modèle que l'apprenant pourra écouter à sa guise. L'apprenant aurait aussi accès à la visualisation de la courbe mélodique de la phrase modèle comparée à sa réalisation qu'il pourrait enregistrer, ainsi qu'à la transcription écrite et phonétique mettant en évidence les syllabes accentuées. Il semble que le programme proposé par James et Sherk (1993) intègre une composante intonative similaire, en optant pour une notation en forme de modulation. Le projet IVY de l'Université de Toronto, que propose James, inclut une composante grammaticale, des exercices de traduction, des exercices de prononciation fondés sur l'audition de segments sonores (numérisés) et des exercices d'imitation, qui sont aussi numérisés à des fins de comparaison.

Goh (1993) décrit un didacticiel, produit pour l'enseignement de l'anglais L2 et fondé sur la reconnaissance de la parole, qui permet d'évaluer la production phonémique et lexicale d'un utilisateur et de la comparer à un modèle mis en mémoire à l'aide d'un visualisateur de mélodie. L'utilisateur peut mettre en mémoire sa production et évaluer ses progrès à long terme. Toutefois, le programme ne peut tenir compte des phénomènes d'assimilation lorsqu'un phonème est prononcé dans une séquence sonore. Les travaux en reconnaissance de la parole pourront permettre d'accepter diverses variantes phonologiques et de prendre en considération le rythme et les pauses. Ces programmes nécessitent en général un calibrage du modèle et ne tiennent pas compte de zones de déviance qui pourraient être acceptables dans une situation de communication.

Delcloque (1995) s'intéresse aux phénomènes suprasegmentaux (rythme, intonation, élision, liaison, assimilation) dans un didacticiel, encore en voie d'élaboration, pour l'enseignement de la prononciation du français. Il utilise la métaphore d'Astérix avec «Fonologie» et «Fonetix» pour guider les étudiants dans les distinctions significatives ou dans les détails phonétiques. Le didacticiel inclut des activités variées et des épreuves présentées sous forme de textes, selon l'alphabet habituel ou l'alphabet phonétique, et de séquences animées et vidéo illustrant les mouvements articulatoires. Le didacticiel utilisera les principes de la reconnaissance de la parole pour juger les énoncés produits.

Les recherches

De Bot (1983) a démontré l'effet positif de la visualisation de la courbe intonative, produite pour l'apprentissage de l'intonation de l'anglais chez des apprenants français et hollandais, par opposition à une rétroaction audio qui n'a généré aucun effet significatif. Par ailleurs, Stenson *et al.* (1992) n'ont trouvé aucun effet significatif à la suite de l'utilisation du *Speech Viewer* (conçu d'abord pour la pathologie du langage chez les enfants), qui contient divers modules (conscientisation, développement de l'habileté, création de modèles) présentés sous forme de jeu et qui permet de visualiser la courbe intonative. Les sujets (des apprentis professeurs d'anglais) de niveau avancé en anglais L2 éprouvaient des problèmes sur le plan de la prosodie et de l'intonation. Les cinq sujets du groupe expérimental ont utilisé l'appareil pendant 80 minutes en moyenne, alors que les sujets du groupe témoin ont travaillé cet aspect selon la méthode habituelle. Même si les sujets du groupe expérimental ont exprimé un intérêt marqué à utiliser le *Speech*

Viewer, les résultats n'ont indiqué aucun gain supérieur à la méthode habituelle. Toutefois, le système utilisé n'était peut-être pas approprié aux sujets soumis à l'expérimentation.

Pennington et Esling (1996), dans une rétrospective des recherches faites sur l'efficacité de l'utilisation des supports informatiques pour l'enseignement de l'intonation, indiquent qu'une période aussi réduite que 12 minutes a un effet positif sur la production des contours intonatifs. De plus, il semble que le support visuel favorise davantage la répétition des exercices que le simple support auditif et permette d'atteindre l'objectif de production orale. L'entraînement à la perception des sons (par la discrimination ou la visualisation de graphiques) a un effet positif plus important sur la production adéquate des sons que la simple répétition. La motivation accrue des utilisateurs ainsi que le travail autonome sont également des facteurs qui incitent à l'utilisation de ces nouveaux outils dans un cadre d'autoapprentissage.

Il faut noter également un intérêt de plus en plus grand pour l'utilisation des supports informatiques pour l'enseignement de la prononciation dans son sens large (incluant la phonétique, la phonologie, l'analyse, la reconnaissance et la synthèse de la parole), puisqu'un groupe de recherche a été créé, sous les auspices de CALICO (*Computer Assisted Language Instruction Consortium*) et d'EUROCALL, pour se pencher sur cet aspect.

2.4.2 La communication

Même si les supports informatiques ne semblent pas, à première vue, tout indiqués pour l'enseignement de la communication, il faut noter diverses initiatives en ce sens. Des applications informatisées, comme celle décrite par Nicholas et Toporski (1993) pour l'enseignement du russe (*The Critic's Corner*) à partir de dix segments vidéo enregistrés sur vidéodisque, ont pour but de favoriser le développement de l'expression orale et écrite. Les apprenants, qui travaillent en dyades, sauvegardent leurs productions (un jugement critique sur le document vidéo) écrites (sur bloc-notes électronique) et orales (sur disquette) pour une analyse ultérieure. Des activités de préécoute (introduction au segment, informations culturelles, présentation d'éléments lexicaux) sont faites en groupe-classe.

Des programmes multimédias, comme *Éxito, Al-Mumtaaz* ou *CAMILLE* (version espagnole), présentent, en fin de parcours, pour chaque unité, une activité où l'on demande à l'apprenant d'enregistrer sa production en réponse à un stimulus donné et de la comparer au modèle. Dans *Al-Mumtaaz*, on va même jusqu'à la simulation d'une conversation. On recrée ainsi le cadre d'apprentissage qui prévalait dans le laboratoire de langues, mais qui a peu d'effet sur la production orale, puisque l'apprenant est habituellement sourd à ses erreurs.

Toutefois, les développements en reconnaissance de la parole permettent certaines applications nouvelles. Ainsi, le didacticiel *Triple Play*, qui existe en plusieurs langues (anglais, français, espagnol, allemand, hébreu, japonais, italien), grâce à un système de reconnaissance de la parole relativement rudimentaire, peut reconnaître des mots isolés et de courtes séquences sonores conformes à un modèle. Battaglia (1995) décrit le processus de développement d'activités d'expression orale sur des supports informatiques déjà existants. Ainsi, à partir du vidéodisque *Destinos* en espagnol, il a développé, à l'aide du système-auteur *WinCALIS*, des activités dans lesquelles l'apprenant est amené à répondre oralement à des questions de compréhension nécessitant une réponse limitée et prévisible. Une carte de reconnaissance de la parole (*Aria*) intégrée à l'ordinateur permet de reconnaître des mots isolés.

Le programme *Echos,* pour l'enseignement du français, développé conjointement par des organismes gouvernementaux américains dans le cadre du projet *Voice Interactive Language Training System*, constitue une entreprise d'envergure dans ce domaine. Ce programme ne se contente pas de reconnaître des mots isolés, mais aussi des séquences continues de discours oraux dans des simulations de conversations spontanées. Le corpus est fondé sur les productions orales de 100 locuteurs natifs français en discours spontané et en lecture de la transcription de ce même discours. L'algorithme de reconnaissance de la parole, qui permet d'évaluer la prononciation ainsi que la production orale, est également fondé sur les productions orales de 100 locuteurs non natifs se situant à divers niveaux de compétence en français. Ce système devrait permettre aux utilisateurs de simuler une conversation avec l'ordinateur à divers niveaux de compétence et d'obtenir une rétroaction sur leur performance. Ce programme est encore en développement, mais son avenir semble très prometteur (Rypa, 1996).

L'utilisation d'un dispositif de reconnaissance de la parole évite un écueil longtemps reproché au laboratoire de langues, où l'apprenant devait répéter les sons ou les phrases qu'il entendait. Mais, comme on reconnaît que l'apprenant est souvent sourd aux sons qui ne font pas partie de son système phonologique, une telle répétition est souvent inutile. De Bot (1983) a démontré l'inutilité de la simple réécoute par l'apprenant pour corriger ses erreurs de prononciation.

D'autres projets, comme la création de bases de données sonores à l'Université de Victoria, sous la direction de Esling, ou à l'Université Carnegie Mellon, sous la direction de Jones, permettront l'accès à des productions orales authentiques. Cette banque de données, qui sera accessible sur un site Web ou sur CD-ROM, permettra à un utilisateur d'écouter, par exemple, diverses réalisations linguistiques d'une fonction langagière. À l'Université de Victoria, on a mis sur CD-ROM des exemples de réalisations phonétiques appartenant à plus de 40 langues.

On peut également considérer la communication à partir des interactions générées dans l'utilisation des supports informatiques. Divers types de programmes et de tâches à exécuter engendrent divers types d'interactions. Mangenot (1994) propose l'utilisation de l'ordinateur en paires de façon à provoquer des interactions significatives entre les apprenants, que ce soit dans des activités d'écriture à l'aide d'un traitement de texte, dans des activités de correction à l'aide de correcteurs orthographiques ou de dictionnaires, dans des simulations linguistiques ou dans l'utilisation de produits multimédias où les apprenants enregistrent leurs productions orales et les comparent au modèle donné. Au chapitre 5, portant sur l'évaluation de didacticiels, nous traiterons des interactions générées autour d'un ordinateur et des recherches sur ce sujet.

Bailey (1996) propose, dans des programmes orientés vers des contenus spécifiques, de discuter des technologies et de la terminologie qui leur sont associées. À titre d'exemple, l'auteure présente un programme destiné à des étudiants d'allemand (niveau élémentaire) où, aux objectifs linguistiques, elle ajoute des objectifs d'apprentissage reliés à l'utilisation des technologies (faire fonctionner un appareil, produire les caractères allemands, discuter d'équipement informatique). Une application semblable, proposée par Godfrey (1990), suggérait déjà l'utilisation de technologies variées pour la réalisation de diverses activités (négociations commerciales par courrier électronique, préparation d'une visite en France à partir d'une recherche dans une base de données, préparation d'un guide touristique en version audio et en version écrite au traitement de texte) suivie d'une discussion sur l'utilisation des technologies. On peut ajouter la réalisation en dyades d'activités à partir d'informations puisées dans le réseau Internet. Par exemple, on demandera aux étudiants de préparer un itinéraire de voyage à partir de sites préidentifiés (pour éviter des pertes de temps) et de le présenter au groupe-classe.

Conclusion

Bien que les technologies soient surtout utilisées dans un cadre d'apprentissage autonome et que l'expression orale demeure parfois un objectif secondaire, elles peuvent servir à présenter des modèles à produire et à reproduire, à encourager des productions libres qui seront des documents à exploiter, ou, alors, à favoriser des interactions autour d'une tâche à exécuter. Les travaux en reconnaissance de la parole sauront sûrement influencer leur utilisation à des fins d'expression orale. Les ressources importantes accessibles par les technologies constituent maintenant des sources qui peuvent servir de point de départ à des activités d'expression orale dans un but réel de communication.

Notes

1. Il s'agit d'un appareil électronique favorisant une meilleure perception des sons à partir de l'élimination progressive des fréquences non essentielles à la perception du son suivie de leur réintégration pour percevoir le son dans son intégralité.
2. Unité de tournage compacte comprenant, dans un même corps, une caméra et un magnétoscope (définition de Compte, 1993).
3. http://www.amug.org/~a108/ryfrnch.htm

Chapitre 3

Les technologies et la production écrite

C'est sur le plan de la production écrite que l'ordinateur a été surtout utilisé, d'abord pour l'enseignement de la production écrite en langues maternelles, puis non maternelles. Basena et Jamieson (1996) rapportent, à la suite de leur étude portant sur l'enseignement des langues assisté par ordinateur, entre 1990 et 1994, que 34 % des publications portent sur l'enseignement de l'écrit[1]. Les possibilités qu'offrent le traitement de texte et son intégration relativement facile aux programmes d'enseignement en font un outil privilégié pour l'enseignement de la production écrite. Au traitement de texte se sont ajoutés d'autres outils technologiques, comme les gestionnaires d'idées qui servent à la planification, les outils d'aide à l'écriture, les correcteurs orthographiques, les analyseurs de texte, les dictionnaires informatisés, les concordanciers, qui peuvent être utilisés à profit aux étapes de préécriture, d'écriture ou de révision. D'autres logiciels visent la mise en forme matérielle du texte; nous n'en traiterons pas puisque leur fonction s'apparente davantage à l'éditique.

Nous nous référerons à ce modèle de l'apprentissage, fondé sur les différentes étapes du processus, puisqu'il nous apparaît le plus apte à nous permettre une catégorisation des outils. Cependant, nous ferons également référence au modèle récursif, qui perçoit l'écriture comme un processus non linéaire où les différentes étapes sont reprises tour à tour.

3.1 Les outils d'aide à la préécriture

Les outils d'aide à la préécriture, utilisés surtout en langues maternelles, mais également en langues étrangères, visent la planification de l'activité de production écrite. Ces outils peuvent prendre la forme de sollicitation favorisant la réflexion du scripteur ou d'aide-mémoire informatisé permettant une planification de l'activité d'écriture. Certains outils, plus nombreux, s'adressent aux scripteurs experts alors que d'autres, plus rares, visent les scripteurs novices.

On peut également considérer comme outils permettant de se préparer à l'étape d'écriture les didacticiels traditionnels, qui proposent des activités de substitution, de combinaison, de transformation, d'appariement ou de complétion. Ces activités plutôt mécaniques, décriées par les tenants de l'approche communicative, peuvent satisfaire des apprenants désireux de mécaniser l'utilisation d'une forme linguistique et éviter de prendre du temps de classe pour le faire. Ces logiciels peuvent traiter des aspects morphologiques, syntaxiques, stylistiques, ou, de façon spécifique, de l'apprentissage du vocabulaire. Ces programmes peuvent être plus élaborés quant aux modes de présentation (couleur, graphisme), à l'analyse d'erreurs, aux options offertes à l'utilisateur, aux types de rétroactions fournies. Par exemple, le programme *GIFT – French Grammar at your Own Pace*, élaboré par Formation linguistique Canada[2], présente les éléments essentiels de la grammaire française en fournissant des activités d'apprentissage et des outils de référence. Des programmes de dictée, comme les produits de *Rosetta Stone*, conçus pour l'enseignement de plusieurs langues, visent à la fois la compréhension auditive et la production écrite. Toutefois, il faut s'assurer du transfert des connaissances à la situation réelle d'écriture, ce qui semble souvent faire défaut. Il apparaît que ces outils sont plus utiles lorsque le contenu est déterminé à partir des difficultés spécifiques des apprenants.

Outre ces didacticiels, il existe également des outils d'aide à l'apprentissage de la calligraphie. Torres Ortiz (1993) rapporte les avantages de leur utilisation avec des jeunes enfants où les résultats atteints avec un didacticiel ont surpassé ceux obtenus avec l'enseignement traditionnel. *Russian Dynamic Hand* et *Kirillitsa: a Russian Alphabet Tutorial* aident la production des caractères de l'alphabet cyrillique. Dans le même sens, on trouve sur le marché des didacticiels visant la production des caractères pour les langues asiatiques: *Power Japanese*, *Easy Kana*, *Qtkanji* et *KanjiQuiz* pour le japonais, *Chinese Character Tutor* pour le mandarin et *JIEJING*[3] pour les caractères kanji chinois et japonais.

3.1.1 Les recherches

On trouve plusieurs recherches concernant l'effet de l'utilisation d'outils de préécriture. Bonk et Reynolds (1992) ont ajouté au traitement de texte des messages de sollicitation amenant le scripteur à réfléchir sur les étapes de préécriture. Toutefois, certains sujets de son expérimentation (des élèves de l'ordre de l'enseignement secondaire) ont peu invoqué ces invites, disponibles sur demande, ce qui peut expliquer les résultats non significatifs. Par ailleurs, les sujets du niveau collégial y ont eu davantage recours et ont produit des écrits de meilleure qualité. Zellerman *et al.* (1991), qui ont mené une expérience avec des élèves du secondaire, ont rendu ces invites obligatoires en les faisant apparaître de façon régulière durant l'activité d'écriture. Toutefois, les résultats obtenus sont peu probants, ce qui peut s'expliquer par l'apparition des invites de façon peu opportune. Conscient des résultats de ces expériences, Reed (1992) a conçu un programme dans lequel les invites face à la préécriture demeuraient toujours présentes et ce, tout au long du processus d'écriture. Les résultats obtenus sont favorables à l'utilisation d'une telle stratégie pour les différents types de scripteurs, étant donné la qualité supérieure des productions écrites des scripteurs du groupe expérimental.

Barnes *et al.* (1993) décrivent l'élaboration d'un logiciel dont l'objectif est l'acquisition d'habiletés métacognitives de planification des activités d'écriture en anglais L2. Lansman *et al.* (1993) mènent plus loin cette recherche en élaborant un logiciel d'aide à l'écriture (*Writing Environment*) qui intègre des outils de planification, d'organisation, de rédaction et de révision. La mise à l'essai de ce logiciel, à l'aide d'un traceur qui met en mémoire les parcours des utilisateurs, a permis l'analyse des activités des scripteurs. Les résultats obtenus révèlent que les activités de planification n'ont pas eu l'effet escompté sur la qualité des productions écrites, en partie à cause du temps limité alloué à l'expérimentation. Dans le même sens, Wresch (1993) et Reed (1989) décrivent le fonctionnement du logiciel *Writer's Helper*, qui contient 20 programmes de préécriture et 20 programmes de révision. Par des exercices de remue-méninges, d'exploration et d'organisation, le scripteur est amené à aborder divers thèmes. Toutefois, *Writer's Helper* fonctionne de façon séquentielle, ce qui nuit à la récursivité inhérente au processus d'écriture. Smith (1990) suggère l'utilisation de ces outils pour la planification de l'écrit en espagnol. D'autre part, Van Der Geest (1991) indique, à partir d'une étude auprès d'apprenants du secondaire utilisant un outil de préécriture qu'elle a développé, que cet outil sensibilise les scripteurs aux étapes de planification, les incite à les intérioriser et, même, à en faire le transfert dans des situations où l'outil n'est pas utilisé.

Le logiciel Gammes d'écriture, produit par Mangenot (1996), s'inspirant de *Word Prof,* logiciel développé par des chercheurs italiens (Ferraris *et al.*, 1992) s'adresse d'abord aux apprenants de L1 du secondaire. Le logiciel présente, dans la «Bibliothèque», une banque de textes divisée en quatre sections – Actes de langage, Types de textes, Tons, Figures de rhétorique – dont peuvent s'inspirer les utilisateurs et qu'ils peuvent manipuler. Il contient également un module favorisant l'observation critique du texte (recherche de répétitions, mise en évidence, révision guidée, etc.). Un autre module propose des activités de manipulation de textes et, enfin, un dernier présente des activités guidées de production écrite[4]. Par ailleurs, on peut trouver un répertoire de stratégies d'aide à l'écriture, sur le site Web de *CALLNET*[5], à l'intention des scripteurs de L2.

Les logiciels de traitement de texte, comme *WordPerfect* et *Microsoft Word*, permettent de créer un plan de la production écrite, mais on trouve des gestionnaires d'idées, comme *Grand View*, *Thinktank*, *Ready* ou *MaxThink*, qui permettent d'effectuer ces mêmes opérations de façon autonome.

3.2 Les outils d'aide à l'écriture

Même si certains outils de préécriture peuvent être utilisés lors de la mise en forme du texte, deux types d'outils technologiques servent généralement aux scripteurs dans le processus même d'écriture; il s'agit du traitement de texte et de la télématique.

3.2.1 Le traitement de texte

Il n'est nul besoin ici de décrire le fonctionnement des programmes de traitement de texte, ni leurs avantages par rapport à l'écriture manuelle. Nous nous attarderons donc aux recherches menées sur l'utilisation de cet outil et sur ses effets.

Les recherches

Parmi les utilitaires d'aide à l'écriture, le traitement de texte a fait l'objet du plus grand nombre d'études. Dans les expériences, portant soit sur de jeunes enfants (Cochran-Smith, 1991; D'Odorico et Zammuner, 1993), soit sur des adolescents ou des adultes éprouvant ou non des problèmes d'apprentissage, en classe d'alphabétisation (Huss *et al.*, 1990), et étudiant tant leur langue maternelle qu'une langue étrangère (Cardenas, 1990; Dam *et al.*, 1990; Greenia, 1992; Li-Nim-Yu, 1990; Pennington, 1993b), le groupe témoin effectue les tâches de production écrite de façon traditionnelle (papier-crayon), alors que le groupe expérimental utilise le traitement de texte pour accomplir des tâches équivalentes.

Ces expériences considèrent l'évaluation des productions écrites, soit leur qualité externe, c'est-à-dire la longueur des textes, le nombre et le type de révisions, soit leur qualité interne, c'est-à-dire le nombre de fautes, la correction grammaticale, la complexité du vocabulaire, l'emploi de la ponctuation, la qualité générale de la production et les résultats des analyses de lisibilité. Dans les études plus récentes, celle de Baggarley (1991), par exemple, un programme informatique (*DocuComp*), intégré au traitement de texte, permet de mettre en mémoire l'ensemble des révisions apportées aux textes pour une analyse ultérieure.

Certaines recherches traitent de l'utilisation de programmes de traitement de texte spécialement conçus pour des utilisateurs de langue non maternelle, comme *Système-d*, qui est destiné à des anglophones apprenant le français (Kesner-Bland *et al.*, 1990). Scott (1990) indique que, parmi les outils intégrés à *Système-d*, les utilisateurs ont surtout recours au dictionnaire et au conjugueur quand ils sont laissés à eux-mêmes. Toutefois, s'ils sont dirigés par l'enseignant, ils auront recours aux cadres grammaticaux, au répertoire lexical et à l'index d'expressions utiles.

La plupart des études examinent l'attitude des sujets en situation d'écriture à l'aide de l'ordinateur: celle de Shaver (1990) s'intéresse spécifiquement à cette question. Certaines tiennent compte de variables comme le sexe, la familiarité avec l'ordinateur, le ratio étudiant/professeur, la formation du professeur aux techniques d'enseignement de l'écrit ou le domaine d'études.

Les études plus récentes s'intéressent particulièrement aux processus rédactionnels, à la définition d'un modèle de performance, alors que d'autres tentent de définir un cadre pédagogique plus apte à intégrer le traitement de texte comme outil d'enseignement et moins dominé par le professeur. Ces études tiennent compte, entre autres, des habiletés initiales des scripteurs et tentent de définir des modèles pédagogiques plus susceptibles d'aider les scripteurs moins performants.

Tel que le rapportent Bangert-Drowns (1993) et Phinney (1996) dans une synthèse des effets du traitement de texte, les résultats des diverses expériences indiquent souvent que les sujets écrivent pendant des périodes plus longues, que les textes produits sont plus longs et contiennent davantage d'idées, que les sujets manifestent moins d'appréhension face à l'écrit, qu'ils effectuent un plus grand nombre de révisions, mais le plus souvent superficielles, ce qui n'augmente pas la qualité globale de la production écrite. D'autres expériences arrivent à des résultats non concluants, sans différence significative entre le groupe expérimental et le groupe témoin. En 1989, lorsque Schramm a effectué une méta-analyse regroupant 14 expérimentations, il notait, dans l'ensemble, une légère différence dans la qualité des productions favorisant les scripteurs utilisant le traitement de texte, mais une différence très importante quant à la motivation à écrire de ces scripteurs.

Bangert-Drowns (1993) attribue la diversité des résultats obtenus au manque de rigueur du cadre expérimental, au caractère anecdotique des expériences, aux instruments de mesure utilisés ou à la période limitée d'expérimentation. Les résultats obtenus varient parce que les chercheurs ont utilisé des sujets d'âges différents et d'habiletés variées, des équipements et des logiciels différents ainsi que diverses façons de mesurer la performance à l'écrit. De plus, on a souvent considéré l'écriture manuelle et l'écriture électronique comme deux moyens d'écriture équivalents. Il semble que, si l'on isole la variable habileté à dactylographier, les résultats obtenus chez les sujets plus habiles à utiliser le clavier sont supérieurs quand ils utilisent le traitement de texte (Heebner, 1990). Il en est de même pour les utilisateurs qui maîtrisent les processus rédactionnels (Bisaillon, 1996a). Phinney (1996) attribue la variation dans les résultats obtenus à différentes variables: le niveau de compétence de l'étudiant à l'écrit, sa familiarité avec l'ordinateur, le logiciel utilisé et la durée de l'expérience. Hunter (1993) conclut que, même si les résultats ne sont pas univoques, la venue du traitement de texte a changé la façon d'aborder la production écrite et l'enseignement de l'écrit.

D'autre part, on peut attribuer le manque de données concluantes au fait qu'il n'existe pas de didactique intégrée de l'écrit ayant recours au traitement de texte. Il ne suffit pas de laisser ce nouvel outil aux mains des apprenants, mais, du fait qu'il s'agit d'une nouvelle technologie, il faut les guider dans son utilisation et son intégration dans les programmes d'enseignement. Une didactique de la production du document écrit en version papier n'est peut-être pas appropriée pour le texte électronique. Cochran-Smith (1991), dans une analyse rétrospective de l'utilisation du traitement de texte à des fins pédagogiques (32 études), arrive à la même conclusion, réclamant une didactique de l'écrit ayant recours au traitement de texte, appropriée à tous les niveaux du système scolaire; c'est ce que Bisaillon (1991), Baggarley (1991) et Phinney (1994) ont proposé. Spanos (1992) et Hyland (1990) en arrivent aux mêmes conclusions pour l'enseignement de l'écrit en langue étrangère.

Mais peu importe les résultats obtenus, l'utilisation du traitement de texte pour l'enseignement de l'écrit constitue une application généralisée de l'ordinateur pour l'enseignement de la production écrite, sans possibilité de retour en arrière.

3.2.2 La télématique

Dans les études rapportées précédemment, on utilisait le traitement de texte en mode autonome, où chaque scripteur, de façon individuelle, tapait son texte à l'aide d'un logiciel de traitement de texte. Les échanges pouvaient se faire à partir de la version imprimée ou du support informatique (disquette). Depuis le début des années 90, la télématique[6], par la mise en réseau des ordinateurs, a permis la transmission d'informations favorisant un échange entre les scripteurs soit à l'intérieur d'un groupe-classe, grâce aux réseaux locaux (*Local Area Network* – LAN) pour créer un laboratoire d'écriture, soit à l'échelle d'une institution ou d'un pays, grâce aux réseaux à longue distance (*Wide Area Network* – WAN), ou de la planète avec Internet, à l'aide d'un modem branché sur une ligne téléphonique et d'un logiciel de communication.

La production écrite en collaboration, à l'aide d'un réseau ou d'un autre, a été mise à l'essai chez des apprenants des ordres primaire (Allen et Thompson, 1994; Trenchs, 1996), secondaire (Griffiths *et al.*, 1994; Sanaoui et Lapkin, 1992) et universitaire (Beauvois, 1992; Faigley, 1992; Frizler, 1995; Ghaleb, 1993) et ce, pour l'apprentissage de la langue maternelle, étrangère (Smith, 1990) ou de spécialité (Varricchio, 1992).

La production écrite peut se faire en synchronie, lorsque les participants sont présents en même temps dans le réseau, ou en asynchronie, lorsque les participants écrivent selon leur disponibilité et que les messages s'accumulent dans une boîte aux lettres à laquelle ils ont accès à leur guise. Cette production peut être structurée grâce à des systèmes informatiques dédiés à l'écrit, comme le programme *Interchange* du *Daedalus Integrated Writing Environment*[7], à l'intérieur d'un cours offert par une institution, comme l'ont fait Sanaoui et Lapkin (1992), ou laissée à l'initiative du scripteur, qui s'adjoint un correspondant, s'intègre à des groupes de discussion dans Internet, comme

Jasette[8], de l'Université Laval (destiné à des étudiants de français L2), *Causerie*[9] ou *FrenchTalk*[10], au groupe *Tandem*[11] européen, grâce auquel communiquent des locuteurs natifs et des apprenants, à des *MOOs (Mud – Multi-User-Domain – Object Oriented)*, un environnement virtuel dans lequel communiquent les utilisateurs-visiteurs[12], ou à un groupe constitué, comme *Writers in Electronic Residence* (Owen, 1993), où des étudiants, à l'intérieur d'un groupe-classe, communiquent avec des écrivains, canadiens dans ce cas, afin d'échanger sur leur production écrite.

Les recherches

Les résultats des recherches indiquent que l'utilisation de cette technologie tire profit des avantages du traitement de texte, tout en y ajoutant les considérations suivantes:

- favorise chez les scripteurs la prise en compte de l'auditoire;
- augmente la motivation à produire, du fait qu'on recevra une réponse réelle (et non seulement une correction de sa production);
- augmente la motivation à produire des écrits de meilleure qualité (syntaxe, stylistique, structure), parce qu'on veut être compris;
- augmente la complexité des productions écrites, par rapport aux productions orales;
- augmente le ratio du temps consacré à la production écrite, par opposition à la situation traditionnelle d'enseignement;
- augmente le nombre de mots produits dans la langue cible, par rapport au contexte traditionnel;
- favorise le traitement plus en profondeur du sujet à l'étude;

- stimule les introvertis à intervenir davantage qu'ils ne le font en classe (sous le couvert d'un prétendu anonymat);
- permet une communication plus personnelle;
- modifie le rôle de l'enseignant, qui devient membre du groupe de scripteurs, et met tous les collaborateurs, enseignant y compris, sur un pied d'égalité;
- développe des habiletés de lecture pour saisir le message et répond adéquatement aux commentaires et aux questions de l'enseignant ou des pairs;
- favorise chez l'apprenant sa propre prise en charge.

Cette technologie favorise également la compréhension culturelle, comme le démontrent l'intérêt pour rechercher des correspondants à l'étranger, les applications qu'en ont faites Suozzo (1995), Sanaoui et Lapkin (1992) et Kern (1996) pour l'enseignement du français et les projets ICONS (*International Communication and Negotiation Simulations*) et IDEALS (*Promoting an International Dimension in Education via Active Learning and Simulation*), où des étudiants en sciences politiques ont à discuter et à résoudre des problèmes internationaux et à rédiger, par exemple, un traité sur l'utilisation des ressources océanographiques (Hoffman, 1996).

L'expérience menée par Frizler (1995)[13] révèle à quel point les technologies actuelles permettent d'ignorer les frontières et de franchir les barrières culturelles. Elle a offert, à partir de l'Université de San Francisco, un cours d'anglais écrit L2 où les 16 étudiants inscrits se trouvaient en Asie, en Europe, en Amérique du Sud, en Indonésie et au Moyen-Orient (couvrant huit fuseaux horaires) et communiquaient entre eux par courrier électronique à partir d'un programme de cours préétabli. C'était une classe virtuelle où le désir d'apprendre à écrire a réuni les participants pendant huit semaines grâce au courrier électronique. D'une part, ils communiquaient entre eux pour échanger sur leurs productions écrites; d'autre part, l'enseignante transigeait avec chacun individuellement à l'occasion de rendez-vous électroniques ou pendant ses heures de bureau virtuel! Dans ce cours étaient prévus des activités de rédaction, de lecture ainsi que des exercices grammaticaux permettant la consolidation des acquis. Selon les commentaires des participants, ils ont particulièrement apprécié le fait d'utiliser une langue réelle (et non pas celle des manuels) pour accomplir des tâches authentiques, c'est-à-dire communiquer en organisant leur pensée en anglais sans passer par leur langue maternelle, ce qui s'inscrit dans le cadre des théories constructivistes. Étant donné le contexte international et le thème du cours (la compréhension interculturelle), le contenu des échanges entre les participants provenant de divers continents a été fort apprécié. Ils ont souligné leurs progrès face à des aspects linguistiques (vocabulaire, grammaire, expressions idiomatiques) et se sont rendu compte que la technologie n'était pas une fin en soi, mais un moyen de développer leur habileté à s'exprimer par écrit en anglais.

Dans une étude menée par Flórez-Estrada (1995), l'auteure a jumelé, pour le groupe expérimental, des étudiants d'espagnol de niveau intermédiaire/avancé à des correspondants mexicains (locuteurs natifs), alors que le groupe témoin effectuait sa correspondance avec elle. Pendant une période de dix semaines, ils ont correspondu dans le cadre d'un cours d'espagnol écrit. L'auteure a évalué, entre autres, les progrès dans l'utilisation de certains éléments grammaticaux, ainsi que leur appropriation des formules de salutation et de prise de contact. Les progrès des étudiants du groupe expérimental face aux aspects évalués, et, surtout, leur intérêt à participer à ces discussions électroniques (temps passé à la tâche, commentaires verbaux et non verbaux) constituent une indication de la rentabilité de ce moyen pédagogique. Le jumelage avec des locuteurs natifs a aussi été utilisé par Sanaoui et Lapkin (1992) pour l'enseignement du français et par Lunde (1990) pour l'enseignement du japonais.

On s'intéresse également aux interactions qui se produisent dans cet environnement. Dans ce sens, Chun (1994) a analysé les interactions de ses sujets (étudiants d'allemand de niveau débutant). Cette recherche indique que les participants accomplissent diverses fonctions langagières, nécessaires au développement d'une compétence de communication, et assument davantage la gestion de la communication, comme changer de sujet, attirer l'attention, prendre une initiative, ce qu'ils ne font pas généralement en classe. L'auteur postule, sans l'avoir vérifié, que ces habiletés sont transférables à l'expression orale. Par ailleurs, Warschauer (1996a) a poussé plus loin sa recherche en comparant les mêmes sujets dans une situation de communication électronique et dans une situation de communication orale. L'analyse de la quantité des interactions indique que les sujets participent de façon plus équitable lorsqu'ils communiquent électroniquement que lorsqu'ils s'expriment oralement. De plus, ils utilisent des formes linguistiques plus complexes, spécialement les structures syntaxiques, lorsqu'ils communiquent par le courrier électronique.

Beauvois et Eledge (1996) se sont intéressées aux réactions des participants en fonction de leurs préférences établies à l'aide de l'indicateur de préférences Myers-Briggs[14], qui identifie 16 types de personnalité à partir de quatre pôles principaux. L'expérience, menée auprès de 19 sujets apprenant le français L2, indique que l'ensemble des sujets a jugé l'utilisation du courrier électronique bénéfique sur les plans linguistique, affectif et interpersonnel, à l'exception de deux sujets, appartenant au même type de personnalité, qui préfèrent une structure d'apprentissage plus contraignante.

Une autre étude, menée par Oliva et Pollastrini (1995) pour l'enseignement de l'italien, à l'aide des ressources traditionnelles couplées à celles d'Internet, comme le courrier électronique, les forums de discussion et les services de bavardage (*Internet Relay Chat* – IRC), combine la production écrite et la compréhension de l'écrit. Les chercheurs ont demandé aux étudiants d'évaluer leurs progrès après avoir utilisé ces ressources pendant une session. C'est en production écrite que les participants ont jugé avoir progressé davantage, surtout grâce au courrier électronique, qui a été jugé l'outil le plus utile. Même si les étudiants ont éprouvé certains problèmes (techniques et logistiques), les conclusions sont positives face à l'intégration de ces ressources pour l'apprentissage des langues. L'application récente en français et en espagnol par Oliver et Nelson (1996), à partir d'une intrigue policière où la diffusion des informations se fait par courrier électronique ou par le réseau Internet, semble générer des résultats positifs, du moins en ce qui concerne l'intérêt des étudiants à participer et à utiliser la langue cible.

Dans l'ensemble des études, les chercheurs ont tenu compte de diverses variables, comme la qualité et la quantité de la production écrite, les thèmes touchés et l'attitude face à l'écrit en fonction du sexe, du type de personnalité, des styles d'apprentissage ou des stratégies d'écriture utilisées. Certains se sont penchés sur la langue du courrier électronique, qui se situe à mi-chemin entre la langue écrite et la langue orale.

Il va sans dire que ce type d'enseignement n'est pas dépourvu de problèmes et ne convient pas à tous les utilisateurs. L'annotation des productions écrites soulève des problèmes, tant pour les pairs que pour l'enseignant. À cette fin, Holmes (1997) a mis au point un programme informatique permettant l'annotation. Mangenot (1996) propose également un système d'annotation pour l'enseignant et pour les pairs dans le logiciel Gammes d'écriture. La familiarité ou le désir de se familiariser avec la technologie et la capacité d'accepter l'ambiguïté, l'imprévu et de résoudre des problèmes techniques, tant chez l'apprenant que chez l'enseignant, demeurent des conditions de succès. De plus, ce n'est pas la seule présence de la technologie qui permettra d'atteindre des résultats positifs, mais son intégration harmonieuse dans un programme d'enseignement (Warschauer, 1996b).

3.3 Les outils d'aide à la révision

Lorsqu'on considère le processus de révision, on pense à trois outils principaux: le correcteur orthographique, l'analyseur de texte et le concordancier.

3.3.1 Le correcteur orthographique

C'est par un aperçu de l'évolution dans le temps du correcteur orthographique que nous débuterons; nous présenterons ensuite les diverses composantes de cet outil d'aide à la révision, puis son fonctionnement, pour ensuite décrire les résultats de diverses recherches.

Un aperçu historique

Les premiers correcteurs orthographiques ont fait leur apparition au cours des années 70, pour la correction de codes de programmation. Ce n'est qu'en 1980 qu'est apparu, pour l'anglais, le premier correcteur pour les ordinateurs personnels, *Spellguard*. Son dictionnaire contenait 20 000 mots reliés au monde des affaires. Les premiers correcteurs agissaient uniquement à titre de vérificateurs, mettant en évidence des mots non inclus au dictionnaire. Quelques années plus tard est apparu le correcteur *The Word*, qui ne comptait d'abord que 20 000 mots, mais qui a servi de point de départ à la création de *Word Plus* (60 000 mots), qui, à son tour, a été à l'origine de plusieurs correcteurs orthographiques intégrés à des traitements de texte, comme *Bank Street Writer*. Ce n'est qu'avec *Word Plus* que les correcteurs ont commencé à offrir des suggestions orthographiques et diverses options que l'on connaît actuellement. La plupart des traitements de texte offerts sur le marché sont maintenant doublés d'un correcteur orthographique. Par ailleurs, les correcteurs qui fonctionnent de façon autonome sont compatibles avec plusieurs logiciels de traitement de texte.

Les composantes

Le correcteur orthographique est composé d'une base lexicographique, d'un dictionnaire et d'un moteur de correction. La base lexicographique comprend des formes simples de mots et des indications sur la nature grammaticale de ces derniers. Le moteur de correction est un système expert qui fait la recherche, reconnaît les fautes et certaines particularités. Il fonctionne sur une base phonétique et sur l'appariement des caractères en fonction de la fréquence relative des mots. Le sous-système, qui présente les options orthographiques, s'appuie sur le système des probabilités et présente la suggestion la plus probable d'abord. La base phonétique et la proximité des touches sur le clavier, sur lesquelles s'appuie le moteur de correction, permettent de repérer des mots mal orthographiés ou difficiles à retrouver dans la version papier d'un dictionnaire.

Le fonctionnement

Le correcteur orthographique peut fonctionner au vol, pendant l'écriture, ou en différé, après l'écriture. Peu importe le moment de la correction, le correcteur orthographique procède d'abord à la normalisation du texte, pour enlever les codes propres au traitement de texte, puis à la vérification de l'orthographe et, enfin, à la correction.

La vérification de l'orthographe se fait de deux façons. Par l'appariement des caractères, le correcteur compare les mots à ceux du dictionnaire intégré. Par une méthode probabiliste fondée sur l'analyse en algorithme des constituants, le correcteur permet le repérage de séquences de caractères pour lesquelles la fréquence d'erreur est plus grande. L'information phonétique est également intégrée, permettant de fournir des options orthographiques sur la base de données phonétiques. On utilise également une méthode de découpage qui isole la racine des affixes.

La correction de l'orthographe permet à l'utilisateur de choisir l'option orthographique appropriée. Il faut donc que le correcteur puisse générer des formes orthographiques souhaitables. Ainsi, le correcteur conserve dans un premier dictionnaire, assez réduit, les mots fréquemment utilisés; dans un autre dictionnaire, plus important, un répertoire principal et, dans un dernier dictionnaire, les lexiques spécifiques. Toutefois, en général, les correcteurs orthographiques ne peuvent suggérer d'options orthographiques adéquates lorsque les graphies produites sont trop éloignées des graphies correctes, ce qui réduit leur utilité pour les personnes souffrant de dysorthographie.

Pour l'utilisateur, ces étapes de traitement ne sont pas apparentes. Il ne perçoit que le mot mal orthographié mis en évidence, et le correcteur lui permet de l'accepter tel quel, d'accepter le mot et de l'ajouter au dictionnaire de l'utilisateur, de faire une recherche dans le dictionnaire pour obtenir des options orthographiques, de le corriger ou d'accepter un mot pour un seul texte sans l'intégrer au dictionnaire.

Les correcteurs lexicaux se limitent à l'orthographe lexicale, traitent les mots de façon isolée et identifient comme inconnus ceux qui n'apparaissent pas dans leur dictionnaire. Les correcteurs lexicogrammaticaux intègrent une composante d'analyse grammaticale, plus ou moins adéquate selon le cas. Ils se limitent aux mots en proximité immédiate, sans prendre en considération les données contextuelles et sémantiques, et ne détectent pas les mots mal employés, dans le cas des homophones ou des mots divisés par erreur. Par exemple, pour le verbe, le correcteur orthographique doit considérer tous les temps et toutes les personnes et exclure ceux qui n'existent pas. Certains correcteurs, dont *Le Correcteur 101*, peuvent effectuer une analyse grammaticale assez poussée, mais celle-ci requiert une période de temps relativement longue.

Les recherches

Betza (1987) rapporte des données anecdotiques sur l'utilisation du correcteur orthographique auprès d'écoliers. Même si cet outil ne repère pas toutes les fautes, l'enfant est, selon cette auteure, davantage engagé dans le processus de correction lorsqu'il l'utilise que lorsqu'une copie annotée par son professeur lui est remise. L'auteure suggère des pistes pouvant guider l'utilisation pédagogique du correcteur orthographique, comme identifier au préalable les mots pour lesquels la graphie est douteuse, identifier les formes graphiques causant le plus de problèmes, ajouter des mots fréquents au dictionnaire de l'utilisateur, réserver l'utilisation du correcteur à la phase finale de révision.

Teichman et Poris (1985) ont évalué principalement le traitement de texte comme instrument d'aide à la rédaction, mais, dans la seconde phase de leur expérimentation, ils ont eu recours au correcteur orthographique. Les résultats indiquent que l'utilisation d'un correcteur orthographique, pour une période d'une session, n'a eu aucune influence significative sur la production orthographique de leurs sujets, ni sur leur habileté générale à écrire. De plus, il se pourrait que l'utilisation du correcteur orthographique ait augmenté le niveau d'anxiété relié au processus d'écriture. Toutefois, ces résultats demeurent discutables, puisqu'on a mesuré la performance orthographique à l'aide d'un test portant sur des mots isolés. Le fonctionnement du correcteur orthographique et l'initiation des sujets ont sans doute également influencé les réactions de ces derniers.

Greenland et Bartholome (1987) ont également mené une expérience, auprès de jeunes adultes utilisant le traitement de texte couplé au correcteur orthographique et à l'analyseur de texte, en vue d'évaluer l'habileté à écrire des étudiants. Dans la définition des groupes expérimental et témoin, ils ont considéré l'habileté des sujets à dactylographier, et des mesures importantes ont été prises afin d'obtenir des conditions d'expérimentation rigoureuses. Une analyse de covariance pour le test, visant l'évaluation des connaissances grammaticales, ne révèle aucune différence significative. Cependant, le correcteur orthographique ne repérait que des fautes d'orthographe lexicale.

Une expérience menée par McClurg et Kasakow (1989) portait sur l'influence du traitement de texte couplé au correcteur orthographique et au dictionnaire intégré sur la performance orthographique d'élèves du primaire. Cependant, l'objectif primordial de la recherche visait à déterminer l'influence de l'utilisation d'un tutoriel élaboré à partir des fautes même de l'apprenant sur sa performance orthographique. La mise sur pied de deux groupes expérimentaux et d'un groupe témoin, l'administration de traitements différenciés et l'utilisation de tests mesurant l'apprentissage de l'orthographe en arrivent à des résultats supérieurs, de façon significative, pour le groupe expérimental qui a fait une rédaction en utilisant le traitement de texte, qui l'a corrigée à l'aide du correcteur et dont les fautes ont été intégrées dans un tutoriel utilisé trois fois par semaine durant 15 minutes. Les résultats de cette expérience sont concluants quant à la stratégie pédagogique utilisée. Cette expérience a été reprise partiellement par Kelly (1994), et les résultats sont encore favorables à cette pratique de proposer à l'apprenant des activités regroupant ses fautes d'orthographe.

Meyer (1987) rapporte les résultats d'une expérience visant spécifiquement l'analyse de l'influence du correcteur sur la performance orthographique. Toutefois, même si l'auteur visait l'évaluation de l'impact du correcteur orthographique sur la performance orthographique de ses sujets, pour une période de huit semaines, à raison de cinq rencontres de 50 minutes par semaine, les sujets ont rédigé des textes à valeur expressive. L'auteur voulait analyser les différences entre les types d'erreurs commises. Cependant, la typologie choisie reposait uniquement sur des critères typographiques, difficiles à associer à une méconnaissance de l'orthographe. Les résultats obtenus n'indiquent aucune différence significative entre les groupes expérimental (utilisant le correcteur orthographique) et témoin (utilisant le traitement de texte seulement).

Dalton *et al.* (1990) ont mené une étude de l'utilisation du correcteur orthographique, à des fins d'apprentissage de l'orthographe, auprès de deux jeunes écoliers du primaire éprouvant des difficultés en orthographe. Les auteurs signalent que les enfants éprouvant des difficultés d'apprentissage peuvent difficilement identifier la forme orthographique appropriée à partir d'une liste de suggestions, réfuter le jugement du correcteur orthographique qui identifie un mot comme fautif ou trouver une graphie correcte lorsqu'une graphie a été reconnue comme erronée. L'expérience consistait d'abord à initier les sujets à l'utilisation du correcteur orthographique à l'aide d'exercices, puis à leur demander de corriger leurs productions écrites en suivant une méthodologie définie. Les résultats indiquent que les sujets ont pu manipuler seuls le correcteur orthographique après l'initiation et, même, en expliquer le fonctionnement à des pairs. Lorsque le correcteur repérait par erreur un mot bien orthographié, un des sujets éprouvait plus de difficulté à ne pas tenir compte de cette intervention. Ils étaient presque toujours capables de reconnaître et de choisir l'option appropriée parmi les suggestions. Les deux sujets utilisaient des sources externes (dictionnaire, pair) lorsque le correcteur identifiait un mot comme erroné sans proposer d'options. Les résultats indiquent une amélioration constante de la performance orthographique à la suite de l'utilisation du correcteur et des sources externes. Cependant, les sujets n'ont pas fait de correction aux mots non repérés par le correcteur, indiquant que les enfants éprouvant des difficultés d'apprentissage ont besoin de stratégies de correction pour identifier et corriger les fautes non repérées par le correcteur.

Une étude ultérieure, menée par Dalton (1991), a eu recours à 40 écoliers dont les uns corrigeaient des textes à l'aide du correcteur et les autres corrigeaient les mêmes textes à la main avec l'aide d'un pair. Le groupe utilisant le correcteur a produit des textes contenant moins d'erreurs, mais avait tendance à se fier au correcteur pour repérer les fautes. Jinkerson et Baggett (1993) ont également comparé la correction d'un texte par des écoliers utilisant, les uns, le correcteur et les autres, la correction manuelle. Cette recherche a révélé que le correcteur aidait les enfants à repérer les erreurs et, par conséquent, à en corriger un plus grand nombre. Parmi les erreurs repérées par le correcteur, les écoliers en ont corrigé de 75 à 78 % grâce aux options suggérées, puisqu'il est plus facile de reconnaître une graphie erronée que de générer soi-même une graphie correcte.

Desmarais (1994) a mené une étude visant à proposer une didactique de l'orthographe française tirant profit des capacités du correcteur orthographique. Cette didactique s'appuie sur la typologie d'erreur de Catach *et al.* (1986), une pédagogie de la correction de textes organisée autour d'erreurs ciblées présentes dans des documents authentiques tirés du contexte de travail et remaniés, et sur l'utilisation dirigée du correcteur orthographique *HUGO PLUS*. Cette didactique a été mise à l'essai auprès d'adultes anglophones et francophones. Les résultats, analysés en fonction des catégories d'erreurs et des profils des sujets, indiquent des gains importants, étant donné la courte durée de formation (10,5 heures réparties sur quatre semaines), confirmant l'efficacité de la didactique proposée. Cette didactique a été opérationalisée dans le didacticiel *ORTHO+* [15].

Eliason (1995) a mené une expérience dans laquelle deux groupes de sujets du secondaire ont travaillé à des activités de production écrite, l'un avec un traitement de texte seul et l'autre avec un traitement de texte auquel on avait intégré des outils de révision (correcteur orthographique et analyseur de texte – voir ci-après). L'évaluation des productions écrites indique que les sujets ayant utilisé les outils complémentaires ont particulièrement apprécié le correcteur et que la qualité orthographique de leurs productions était nettement supérieure. L'auteur a également noté une certaine supériorité quant à la structure des phrases, les règles d'usage, l'emploi de la majuscule et de la ponctuation. Une expérience semblable a été présentée par Espinoza (1993) où, aux deux premiers groupes (traitement de texte, traitement de texte et outils complémentaires), elle a ajouté un groupe papier-crayon. Ses résultats indiquent une différence significative en faveur du groupe ayant bénéficié des outils complémentaires au traitement de texte.

L'étude menée par Jinkenson (1994) avec des enfants du primaire, fondée sur le concept de partenaire en cognition, visait à comparer l'utilisation du correcteur orthographique (partenaire technologique) et du pair (partenaire humain) quant à l'aide qu'ils peuvent apporter à la tâche de production écrite. Il s'avère que les enfants ayant travaillé avec le partenaire technologique ont obtenu des résultats supérieurs, faisant ainsi du correcteur orthographique un «super» partenaire.

Il semble, à l'analyse de ces expériences menées avec le correcteur orthographique, que les études plus récentes ont permis d'obtenir de meilleurs résultats. Willis et Skubis (1994) notent que, malgré les lacunes que comportent les correcteurs orthographiques, ils constituent des outils dont on ne saurait se priver. De nouveaux outils, spécialement conçus pour les apprenants de L2, tels que *Native English*, qui contient les fautes les plus largement commises par des locuteurs non natifs à partir de leur langue maternelle, sauront sûrement faciliter leur tâche d'écriture. C'est qu'au fil des années, les capacités de ces outils technologiques se sont améliorées et qu'ils permettent un meilleur repérage des erreurs et des suggestions orthographiques plus appropriées. Il s'agit encore une fois d'un outil supplémentaire, à la disposition du professeur de langues, qui ne peut être utilisé sans une préparation adéquate des apprenants.

3.3.2 L'analyseur de texte

Certains utilitaires s'apparentent au correcteur orthographique, mais abordent, outre l'orthographe, la grammaire (accords), la stylistique (force du texte, négativisme, sexisme), le lexique (emploi de clichés) ou la ponctuation (place du point et de la virgule). Toutefois, ces programmes n'accordent généralement qu'un traitement superficiel à l'orthographe, en identifiant des homophones hétérographes (des mots qui ont la même prononciation, mais une graphie différente, comme *ou* et *où*) et en les proposant pour correction chaque fois qu'un élément est repéré. De plus, ces utilitaires fournissent un relevé quantitatif du nombre de mots utilisés, de la longueur moyenne des phrases, du nombre de mots utilisés dans la plus longue phrase, des mots répétés et du nombre de répétitions. Ils fournissent également une appréciation normative du texte et un indice de lisibilité du texte fondé sur la longueur des mots, des phrases et des paragraphes.

Plusieurs auteurs mettent en garde l'utilisateur de ces analyseurs de texte, qui s'en remettrait aveuglément à l'ordinateur et qui pourrait en arriver à des décisions désastreuses. Thiesmeyer (1989) signale que l'analyseur de texte en arrive à une systématisation de la production écrite qui n'a plus rien à voir avec la stylistique. Dobrin (1990) note que l'analyseur de texte le plus puissant à cette époque, *CorrecText*, qui peut effectuer des analyses relativement complexes, ne peut tenir compte des phrases ayant une structure syntaxique ambiguë du fait de son incapacité à traiter les éléments sémantiques. De plus, il ne peut s'adapter aux variantes stylistiques que le scripteur voudrait intégrer. Les analyseurs de texte appliquant des algorithmes de déduction stricts et arbitraires (longueur des phrases limitée à 25 mots) ne peuvent tenir compte de l'intention du scripteur, ni du contexte d'écriture. Ils en arrivent à donner des conseils peu pertinents, inopportuns ou erronés, ou à laisser passer des fautes.

Les recherches

Après avoir fait une analyse de trois analyseurs de texte et de leurs effets sur les utilisateurs, Brock (1993) conclut que ces derniers font des phrases plus courtes et effectuent un moins grand nombre de révisions touchant le sens des phrases que les étudiants n'utilisant pas cet outil technologique. Dans le même sens, Kiefer *et al.* (1989) prétendent que l'utilisation de l'analyseur de texte encourage le scripteur à apporter des corrections d'ordre mineur et à confondre la révision avec la correction de ce type d'erreur.

Bender (1992), dans une expérience où il compare l'évaluation d'un texte par l'analyseur informatique et un évaluateur humain, note d'énormes divergences sur le plan de l'appréciation du texte, tout comme l'avait déjà indiqué Collins (1989), qui notait que 80 % des cas où les évaluateurs humains et les analyseurs de texte s'entendaient portaient sur la correction orthographique, alors qu'ils ne s'entendaient sur les éléments stylistiques que dans 6 % des cas. Lorsque Shanahan (1993) a comparé les résultats de deux groupes révisant, l'un, ses productions écrites sans aide et, l'autre, avec l'aide d'un analyseur de texte, ils se sont révélés équivalents. Cependant, lorsque Reed (1989) a comparé les données fournies par *Writer's Helper*, il a pu établir que le nombre de mots par paragraphe et par phrase ainsi que l'indice de lisibilité étaient des facteurs permettant de prédire la qualité de la production écrite.

Pennington (1992, 1993a) s'intéresse particulièrement aux scripteurs novices, pour qui les analyseurs de texte pourraient ne pas être toujours de bon conseil, étant donné que la rétroaction fournie n'est pas toujours appropriée ou juste, mais apparaît correcte à l'utilisateur, vu le ton autoritaire du commentaire, que le contexte d'application visé est souvent la langue des affaires, que les révisions visées sont surtout superficielles et ne touchent pas le processus d'écriture dans son ensemble.

Dans une expérience que Reed (1996) a menée, il a utilisé *Writer's Helper*, un logiciel qui fournit, outre les outils de préécriture mentionnés précédemment, des outils de révision. Il a comparé les résultats des sujets ayant utilisé ce logiciel pour la révision et ceux des sujets ayant utilisé leurs stratégies personnelles. Ceux qui ont eu recours au logiciel ont produit des écrits de meilleure qualité; ils ont fait des révisions (substitutions ou effacements) qui n'affectent pas le sens; ils ont éliminé des mots, raccourci des phrases trop longues et allongé des phrases trop courtes, ce qui a permis une production de meilleure qualité.

L'intérêt des utilisateurs à se servir des analyseurs de texte et la possibilité que ces derniers peuvent maintenant offrir de les adapter au public utilisateur laissent croire que ces outils pourraient fournir une aide à l'apprenti scripteur. Williams (1993) conclut son analyse des outils d'aide à la révision de texte en disant qu'ils peuvent être utiles dans l'enseignement, mais que l'enseignant devrait lui-même en découvrir les limites, mettre en garde les utilisateurs et en évaluer l'utilité pour les types d'apprenants auxquels il s'adresse.

Les analyseurs de texte ne peuvent considérer les aspects sémantiques, pragmatiques et discursifs d'un texte, ni son format de présentation ou d'organisation. Ils arrivent à analyser les aspects mécaniques et ce, de façon de plus en plus sophistiquée, avec les développements de l'informatique et de l'analyse des langues naturelles, mais leur rentabilité en classe de langue non maternelle reste encore problématique.

3.3.3 Les concordanciers

On trouve d'autres types d'analyseurs, qui n'ont pas pour objet d'évaluer la production écrite d'un scripteur, mais bien d'établir la fréquence des occurrences des mots: il s'agit des concordanciers. Ils permettent d'établir des listes de fréquence des mots d'un corpus par ordre alphabétique ou par fréquence. D'abord utilisés par les lexicographes pour l'élaboration des dictionnaires, les concordanciers servent maintenant aux chercheurs en linguistique, en analyse littéraire et en stylistique. Mais Flowerdew (1996) prédit que les concordanciers feront partie des outils communs de recherche en didactique des langues, étant donné leur développement rapide, leur convivialité de plus en plus grande et l'existence de corpus déjà constitués, toujours plus nombreux.

Le fonctionnement

Dans sa description des concordanciers, Barlow (1996) illustre comment ils permettent de trier, dans un corpus, les occurrences d'un mot, d'une expression ou d'une phrase. Par exemple, si l'on veut discuter avec un groupe d'apprenants des collocations, par exemple des mots pouvant suivre le verbe *parler*, on peut trouver, dans un corpus, les phrases où apparaît le mot et identifier les mots qui le suivent, comme *parler à*, *parler de*, *parler avec*, *parler comme*, *parler à titre de*, etc. On peut, dans une étape ultérieure, trier (en ordre alphabétique, de gauche à droite ou de droite à gauche) toutes les phrases en fonction de l'élément précédant ou suivant le mot *parler*.

La valeur du concordancier est déterminée par le corpus qu'il utilise. Ainsi, on pourra retrouver des corpus créés à partir d'œuvres littéraires, de transcriptions de conférences sur des sujets spécifiques, d'ouvrages scientifiques ou spécialisés. Flowerdew (1996) dresse la liste des corpus existant dans divers domaines, en anglais. Le professeur qui enseigne une langue de spécialité devra établir son propre corpus à partir des ressources disponibles (textes écrits, transcriptions). Les mots-outils (articles, prépositions, conjonctions) ont une occurrence beaucoup plus élevée dans les textes que les éléments lexicaux. Or, si le professeur veut axer le travail sur le lexique, le corpus choisi devra être plus important. Il est à noter que la plupart des corpus sont présentement limités à la langue écrite, étant donné que les transcriptions de l'oral sont peu généralisées et difficilement accessibles.

L'exploitation pédagogique

Dans un premier temps, le concordancier sert à identifier les collocations. Cet outil permet également d'explorer le sens d'un mot en fonction du contexte, les diverses formes qu'il peut prendre, les fonctions syntaxiques et discursives qu'il peut jouer, les registres dans lesquels il apparaît. Les données obtenues à l'aide d'un concordancier peuvent servir de point de départ au professeur désireux de préparer des activités d'analyse portant sur l'utilisation d'éléments grammaticaux ou sur l'usage de connecteurs et ce, à partir de documents authentiques. Ces éléments peuvent également servir à préparer des textes lacunaires fondés sur l'utilisation de syntagmes, de congénères ou de faux amis. Comme le dictionnaire, le concordancier ajoute une valeur d'objectivité, d'information additionnelle et d'exhaustivité à laquelle ne peut prétendre le locuteur natif et ses intuitions linguistiques. Honeyfield proposait déjà, en 1989, une typologie d'exercices à partir des relevés d'un concordancier, et Murphy (1996) en présente l'application pour l'enseignement du vocabulaire en espagnol.

Pour l'apprenant, le concordancier peut servir de base d'exploration linguistique, comme l'ont indiqué Cobb et Horst (1997), l'aidant à développer une conscience linguistique, par des procédés inductifs ou déductifs, favorisant l'inférence et la généralisation. Toutefois, pour tirer profit de cet outil, comme pour tout autre moyen pédagogique, l'apprenant doit être initié et guidé dans son utilisation.

À des fins de recherche sur l'acquisition, certains concordanciers ont été produits à partir des productions d'apprenants, afin d'en faire l'analyse, pour ensuite servir aux enseignants ou aux chercheurs intéressés à l'interlangue ou aux productions propres à un groupe d'apprenants ayant une langue maternelle spécifique (Butler, 1990; Dalgish, 1991).

Conclusion

Nous avons donc passé en revue des outils technologiques pouvant aider le scripteur dans les diverses étapes du processus de production écrite, habileté pour laquelle l'utilisation des technologies a été la première à s'implanter. Diverses expériences confirment l'utilité de ces outils, qui, même s'ils n'ont pas été développés spécifiquement pour l'enseignement des langues, semblent, lorsqu'ils sont bien utilisés, apporter aux professeurs de langues un soutien précieux à leur enseignement et aux apprenants un appui qu'ils sauront utiliser dans leurs activités d'écriture, hors du contexte d'apprentissage. Les suggestions faites par Phinney (1996), où les apprenants produisent eux-mêmes des applications hypertextes à l'aide d'un système-auteur, donnent une valeur instrumentale à la production écrite et s'éloignent radicalement du concept traditionnel d'apprentissage de l'écrit.

Notes

1. Leur étude était limitée à des écrits publiés en anglais.
2. On peut avoir un aperçu de ce didacticiel sur le site: http://www.edu.psc-cfp.gc.ca/ltc/gift/index.html
3. Pour plus d'information sur ce programme, voir: http://www.cltr.uq.oz.au:8000/oncall/71chap.htm
4. On peut voir un exemple d'une application de ce logiciel sur le site: http://www.ac-lyon.fr/enseigne/gaule/ltds02.html
5. http://www.yorku.ca/admin/cawc/strategies/strategies.html
6. Legendre (1988) définit la télématique comme «l'ensemble de services [...] permettant la transmission unilatérale ou interactive d'informations textuelles, imagées ou sonores sur un réseau de télécommunications par la mise en œuvre de techniques de téléinformatique».
7. Ce système offre d'autres composantes: *Invent* pour le remue-méninges, *Respond* pour l'évaluation des productions écrites, *Mail* pour le courrier électronique et *BiblioCite* pour les références bibliographiques.
8. Pour plus d'information et s'inscrire, voir: http://www.fl.ulaval.ca/elv/Jasette.html.
9. Pour s'abonner à *Causerie*, il faut envoyer un message à: listserv@uquebec.bitnet
10. Pour s'abonner à *FrenchTalk*, il faut envoyer un message à: listproc@yukon.cren.org
11. Voir: http://tandem.uni-trier.de ou consulter Brammerts (1996).
12. Sanchez (1996) décrit le fonctionnement des *MOOS* (*Moo français*, *Mundo Hispano*, *SchMooze*, *Moosiaco*, *Little Italy Moo)*.
13. Voir: http://thecity.sfsu.edu/~funweb/thesis/htm pour plus de détails.

14. Il s'agit d'un instrument mis au point en 1980, par Isabel Briggs Myers et Katherine Briggs, à partir de la théorie des types de personnalité de Jung.
15. Il est possible de télécharger ce didacticiel à partir du site de l'Institut canadien du service extérieur: http://www.cfsi-icse.gc.ca

Chapitre 4

Les technologies et la lecture

Les technologies, spécifiquement l'ordinateur, ont été utilisées pour l'enseignement de la lecture d'abord en langue maternelle, pour l'entraînement à la lecture rapide, à la fin des années 80. Toutefois, avec la venue de l'hypermédia et le principe de non-linéarité qui lui est associé, l'ordinateur peut apporter un soutien utile à l'enseignement de la lecture, tant en langue maternelle que non maternelle.

Les modèles théoriques pour l'enseignement/apprentissage de la lecture, surtout inspirés des théories cognitives, peuvent servir de point de départ à des applications technologiques. Cornaire (1991) passe en revue les modèles les plus courants: les modèles du bas vers le haut (ascendant – «La signification d'un texte se construit à partir de l'encodage d'unités de base, en passant d'abord par la reconnaissance des lettres, des syllabes, des mots et, enfin, des phrases.» p. 22) et les modèles du haut vers le bas (descendant – «La signification globale d'un texte commence à se construire au tout début de la lecture, à partir d'une hypothèse [...] une idée générale que le lecteur se fait du contenu du texte [...] à partir de l'expérience et des connaissances personnelles du sujet.» p. 23); ou les modèles plus spécifiquement propres à l'enseignement des langues non maternelles, comme ceux de Devine, Segalowitz ou Moirand. Toutefois, comme l'indique Brasche (1991), peu d'applications pédagogiques ont recours à ces modèles, qui sont, comme il l'a démontré, tout à fait applicables et favorisent le développement de stratégies efficaces de lecture.

4.1 L'ordinateur et la lecture

La lecture constitue, selon Schulz (1993), un secteur de l'enseignement des langues où l'ordinateur peut offrir un soutien exceptionnel aux apprenants. Bisaillon (1995) rappelle que la compréhension d'un texte en L2 est liée au savoir lexical, sous-composante principale de l'habileté à lire. Or, avec l'hypermédia, l'apprenti lecteur peut avoir accès, en cliquant sur un mot, à sa définition, à un exemple d'utilisation dans un autre contexte, à une note culturelle, à une traduction, à une séquence vidéo, à une animation, soit diverses sources qui favorisent l'acquisition du lexique par la construction de réseaux sémantiques. Le lecteur peut aussi avoir accès à un glossaire ou à un dictionnaire électronique dont nous discuterons l'utilisation ci-après. Les didacticiels de lecture produits actuellement font usage des ressources hypermédias en fournissant au lecteur des liens vers des séquences vidéo ou audio, des images, des graphiques, des illustrations, ainsi que des références textuelles.

Certaines applications visent plus spécifiquement le développement des stratégies de lecture, que Cornaire (1991) présente: le balayage, l'écrémage, l'utilisation du contexte, la tolérance face à l'ambiguïté, la lecture critique, l'inférence, l'utilisation des connaissances antérieures, référentielles (contexte) et textuelles (articulateurs, syntaxe, structure du texte), l'anticipation (formulation d'hypothèses), la capacité de résumer, l'aptitude à cerner les idées d'un texte. Certaines stratégies sont associées plus directement à la reconnaissance lexicale, comme l'exploitation des ressemblances lexicales (congénères), le décodage phonème-graphème, les préfixes, les suffixes. Toutes ces stratégies peuvent être sous-jacentes à l'élaboration d'un didacticiel favorisant l'apprentissage de stratégies de lecture et le développement des habiletés de compréhension de l'écrit.

4.1.1 Un aperçu historique

Parmi les logiciels dits de première génération, on proposait des activités d'acquisition lexicale soit à partir de mots croisés, d'anagrammes ou d'une version informatisée du jeu de *Scrabble*, soit à l'aide d'activités d'appariement mot-graphique, mot-définition, comme *Matchmaster* ou *Vocapuces*, d'associations d'idées par synonyme, antonyme, hyponyme. Ces didacticiels, quoique limités sur le plan des options offertes et de l'analyse des réponses, offrent la possibilité d'une certaine mécanisation et une exposition nécessaire à l'acquisition lexicale.

Étant donné la corrélation établie entre les tests de closure et l'habileté en lecture, et leur utilité pour l'enseignement des langues non maternelles (Cobb et Stevens, 1996), certains voient des logiciels tels que *Cloze Encounters*, *Gap Master*, *Storyboard*, pour n'en nommer que quelques-uns, comme des activités préparatoires à la lecture. Ces logiciels permettent à l'enseignant d'intégrer ses propres textes et d'effectuer, en plus des exercices lacunaires, des activités de manipulation ou de réorganisation de texte visant à reconstituer le texte original.

Les logiciels de deuxième génération, plus sophistiqués sur le plan de la programmation informatique, associent la lecture à l'acquisition lexicale en permettant, par exemple, à l'apprenant de créer ses propres glossaires, d'établir des liens sémantiques entre des mots ou d'examiner les collocations. Dans ce cas, l'acquisition lexicale est mise au service de la compréhension de l'écrit.

Cependant, Brasche (1991) souligne que les logiciels qui visent en priorité l'acquisition lexicale (modèle ascendant) encouragent le développement de mauvaises habitudes de lecture. Des logiciels du type exerciseur, qui visent l'apprentissage du vocabulaire tiré de textes pédagogiques (faits pour l'enseignement), par opposition à des textes authentiques (non conçus pour l'enseignement), ne préparent pas l'apprenant à affronter une tâche réelle de lecture. Ces logiciels offrent une aide lexicale (le plus souvent sous la forme d'une traduction) qui favorise la traduction littérale et non la compréhension du texte dans son ensemble. Brasche (1991) a construit un outil d'aide à la compréhension favorisant l'utilisation du contexte pour inférer le sens d'un mot, le devinement, la régression (revenir sur un passage déjà lu), l'évitement (sauter un mot non compris).

4.1.2 Les applications

On trouve maintenant plusieurs logiciels de lecture qui visent réellement la saisie du message et fournissent à l'apprenant des outils permettant de résoudre des difficultés de compréhension. Par exemple, Bisaillon (1995) décrit trois logiciels de lecture pour l'apprentissage du français L2.

- *Nicolas*: logiciel fondé sur une nouvelle; mots difficiles en caractères gras et reliés à des définitions; tâches interactives de lecture intercalées.
- *French Reading Lab 1*: trois nouvelles de Maupassant avec accès à un glossaire offrant la traduction, des explications lexicales, des notes culturelles et des informations grammaticales. Des activités permettent à l'utilisateur de vérifier sa compréhension des textes.
- *Autolire*: banque de textes accompagnés de photographies ou d'illustrations et d'une version sonore. Les textes sont classés par niveau de difficulté avec une introduction présentant les mots clés et un accès à un dictionnaire bilingue. Le didacticiel suggère des stratégies de lecture.

Le tableau 2 ci-après présente une liste de didacticiels récents de lecture en langues non maternelles.

Tableau 2
Didacticiels de lecture

Auteur/Source	Année	Langue	Titre
Hult	1990	anglais	*HyperReader*
Chun et Plass*	1995	allemand	*CyberBuch*
Luo	1992	espagnol	*El Aleph*
Blake	1991	espagnol	*Recuerdos de Madrid*
Lyman-Hager *et al.*	1996	français	*Une vie de Boy***
Maciejewski et Leung	1992	japonais	*Nihongo Tutorial System*
Ashworth	1996	japonais	*Kanji City****
Ashworth	1996	mandarin	*Chinenews*

Pour davantage de renseignements, voir les sites Web suivants:
* http://humanitas.ucsb.edu/depts/german/CyberBuch.html/
** http://ets.cac.psu.edu/catalog/completed/french
*** http://www.lll.hawaii.edu/homepage/Technology.html

Il faut ajouter à cette liste les didacticiels distribués par *Transparent Language* en plusieurs langues (français, anglais, allemand, italien, latin, russe, espagnol, suédois, néerlandais), mais qui suivent le même mode de présentation.

Outre les didacticiels, il existe des systèmes-auteurs et des gabarits[1] permettant à l'enseignant d'intégrer les textes qu'il a choisis. Dans ce sens, le système canadien *Prompt* fait figure de pionnier (Mydlarski et Paramskas, 1984). Ces systèmes suivent les principes théoriques reconnus par leurs auteurs; par exemple, Raschio (1991) impose trois lectures du texte selon des consignes précises pour chacune d'entre elles. Brasche (1991) intègre l'utilisation de divers types d'indices contextuels selon une hiérarchie définie: occurrences du mot dans un texte antérieur, contextes des occurrences dans le texte à lire, synonymes du mot, mot associé sur le plan sémantique et morphologique, définition, traduction. Ces systèmes sont utilisables pour l'enseignement de diverses langues, mais ils sont présentés le plus souvent en anglais. Voici, au tableau 3, des systèmes existants et les sources où l'on y fait référence.

Tableau 3

Systèmes-auteurs pour la lecture

Auteur/Source	**Année**	**Titre**
Foelsche	1992	*Annotext*
Davis *et al.*	1992	*ClearText*
Brasche	1991	*Escort*
Herren	1994	*Guided Reading**
Lyman-Hager *et al.*	1997	*GALT* (Glossing Authentic Language Texts)
Raschio	1991	*Lire, Lesen, Leer*
Motterdam	1990	*Microtext*
Borchardt *et al.*	1995	*Readware*
Softec International	1996	*SoftRead***
Schulz	1993	*TextCALIS/Chopsticks*
Ashworth	1996	*The Voyager Expanded Book*
Bisaillon	1995	*Versatext*

* Il est possible de télécharger ce système à partir du site suivant: ftp://ftp.flannet.middlebury.edu/pub/

** Plus de renseignements à l'adresse suivante: softec@itsnet.com

Par exemple, Martinez-Lage (1996, 1997) a élaboré, à l'aide du gabarit *Guided Reading*, un didacticiel fondé sur le roman de Esquivel (1989), *Como agua para chocolate*, où elle utilise comme outil d'aide à la compréhension le vidéodisque reprenant le film du même nom. Il s'agit d'un programme hypermédia intégré dans lequel différentes sources d'information sont mises au service de la compréhension du texte.

Dans le même sens, Lyman-Hager et Davis (1996) ont développé le didacticiel *Une vie de Boy*, fondé sur le roman de Oyono (1956), dont le système-auteur *ClearText* peut servir à la production de programmes de lecture ayant les mêmes fonctionnalités. Le système-auteur GALT (*Glossing Authentic Language Texts*), produit récemment, qui a servi au développement de *À l'aventure* pour le français, peut s'appliquer à d'autres langues. On trouve aussi des applications pour l'enseignement de la littérature, comme celle de Hess (1993) pour l'enseignement de la poésie en anglais L2. Sharma (1993) souligne que de telles applications réduisent la portée de la littérature, puisque, dans ce domaine, «signifiant» et «signifié» varient largement d'un auteur à l'autre et que l'interprétation d'une œuvre littéraire peut être extrêmement variable. Toutefois, il ajoute que l'hypertexte, avec ses divers accès au sens, pourrait constituer une voie prometteuse pour l'enseignement de la littérature.

4.1.3 Les recherches

Diverses recherches ont été menées dans le but de vérifier l'efficacité des didacticiels dans leur ensemble et des options mises à la disposition des apprenants. Dans la majorité des cas, les sujets ont accès à un didacticiel, auquel ils ont d'abord été initiés, qui leur présente des textes à lire. À l'aide de diverses épreuves (protocole de rappel, test de compréhension, test de closure, définition d'éléments lexicaux), on vérifie les progrès des sujets après l'utilisation du didacticiel pour une période donnée. Un traceur électronique, comme *The Observer*

(Ashworth, 1996), repère le temps mis à l'accomplissement des tâches et les parcours des sujets, comme l'accès aux ressources du didacticiel (glossaire, dictionnaire, conjugueur, informations structurantes)[2]. Souvent, un questionnaire d'évaluation accompagne ces mises à l'essai.

À titre d'exemple, nous rapportons, au tableau 4, quelques recherches expérimentales postérieures à 1990, portant sur l'enseignement de la lecture en langues non maternelles à l'aide de didacticiels, et un aperçu des résultats obtenus.

Tableau 4

Recherches expérimentales – Lecture

Auteur	Année	Langue	Clientèle	Résultats
Aweiss	1993	arabe	universitaire	gain supérieur pour le groupe ayant accès au glossaire
Blake	1992	espagnol	universitaire	accès différent au lexique selon le niveau des utilisateurs
Brasche	1991	français	secondaire	groupe ayant des indices contextuels: plus d'inférence gain supérieur au rappel après une semaine
Chun et Plass	1996	allemand	universitaire	vocabulaire associé à des images mieux retenu que le vocabulaire associé à des informations textuelles ou à des séquences vidéo
Culver	1991	anglais	universitaire	gain en lecture avec l'utilisation du logiciel *Reading Mastery*
Lyman-Hager et Davis	1996	français	universitaire	acquisition plus efficace du vocabulaire que le groupe témoin utilisant la version papier

Aweiss (1993) conclut son expérience en affirmant que les sujets ont davantage recours au glossaire qu'aux autres options disponibles (conjugueur, informations sur le texte). Le glossaire semble l'option permettant l'accès à la compréhension. Toutefois, il fait remarquer que la qualité de la présentation du texte à l'écran et la facilité d'accès aux options disponibles constituent des facteurs dont il faut tenir compte. La présentation même du glossaire peut influencer la compréhension; s'agit-il d'une définition tirée d'un dictionnaire ou d'une présentation du mot dans des contextes significatifs, avec des illustrations éclairantes?

Dans l'expérience qu'il a menée, Brasche (1991) a pu constater que, des trois groupes qu'il a comparés (groupe ayant accès aux divers indices, groupe ayant accès au glossaire, groupe témoin), celui qui a eu accès aux divers indices a fait plus d'inférences, étant donné un gain supérieur au test de closure que les autres groupes, et a eu des résultats supérieurs au post-test de rappel administré une semaine après la mise à l'essai. Il conclut que les indices contextuels favorisent la construction du sens d'un texte, par conséquent la compréhension et l'acquisition du vocabulaire. De plus, il rappelle qu'un élément lexical est mieux appris et retenu s'il y a eu un travail de construction du sens, au lieu d'une simple traduction.

Même si les sujets qui ont participé à l'expérience qu'a menée Culver (1991) ont accru leur capacité à comprendre un texte et leur vocabulaire, il semble que le gain face au rythme de lecture (un objectif du programme) ait nui au progrès en compréhension.

À la suite de trois études menées à partir du logiciel *CyberBuch*, Chun et Plass (1996) concluent que, même si le logiciel vise explicitement l'apprentissage de la lecture, il y a apprentissage du vocabulaire. Étant donné la présentation multimodale des définitions (texte, texte et image, texte et vidéo), le taux d'acquisition est sensiblement supérieur à celui atteint dans des études antérieures où on avait uniquement recours à des informations textuelles. Les auteurs ont noté également de meilleurs résultats au test de rétention administré deux semaines après l'essai, du fait que, généralement, on se rappelle davantage les images lorsqu'il y a un espace de temps entre la présentation et le rappel. De façon générale, les sujets se sont mieux rappelé les mots associés à une définition «texte et image» qu'à une définition «texte et vidéo». De plus, les sujets ont eu accès à plus d'une source pour comprendre le sens d'un mot, étant donné qu'elles étaient disponibles. Ces résultats laissent donc croire que les images visuelles statiques permettent des associations plus durables en mémoire à long terme.

Faisant un rappel des écrits sur le sujet, Lyman-Hager et Davis (1996) concluent que les activités associées à la compréhension du vocabulaire favorisent la compréhension de textes qui contiennent un nombre élevé de mots inconnus du lecteur. Dans le même sens, Cobb et Stevens (1996) admettent que c'est par la reconnaissance lexicale, par opposition au devinement, que les apprenants acquièrent une compétence en lecture. Pour l'élaboration du logiciel *Une vie de Boy*, Davis *et al.* (1992) ont d'abord vérifié les réactions de leur public cible face à la compréhension de certains mots (encercler les mots inconnus, définir certains mots, protocole de rappel) et ont ensuite choisi ceux présentant le plus grand nombre de difficultés, afin d'éviter de fournir des explications pour des mots trop faciles. De plus, ce logiciel est accompagné d'un traceur, qui garde en mémoire les actions de l'utilisateur, permettant aux chercheurs et aux enseignants d'identifier les difficultés auxquelles les utilisateurs font face et les stratégies qu'ils emploient pour y remédier. Grâce au traceur intégré, Blake (1992) a observé que, selon leur niveau de connaissance, les apprenants utilisent différemment le glossaire.

4.2 Les dictionnaires électroniques

À la lecture assistée par ordinateur, on associe souvent les dictionnaires électroniques, qui permettent de trouver rapidement la définition d'un mot (dans un dictionnaire unilingue) ou sa traduction (dans un dictionnaire bilingue). Les dictionnaires électroniques vendus commercialement sont de plus en plus sophistiqués et permettent, comme *Le Robert électronique*, ou le *Oxford English Dictionary* ou le *Diccionario de la Real Academia española*, de voir les occurrences d'un mot dans divers contextes linguistiques.

Par ailleurs, des recherches sont en cours quant à l'élaboration d'outils pédagogiques, fondés sur des principes lexicographiques, spécialement à l'intention des apprenants (Selva, 1997). D'autres projets sont axés sur le développement d'outils technologiques pour l'apprentissage du vocabulaire: le projet *Mayday* intègre un dictionnaire de l'apprenant, un dictionnaire de synonymes et un dictionnaire de mots dérivés, créant ainsi un environnement d'exploration pour l'apprentissage du lexique; le programme *Dicologique* est consacré au vocabulaire spécialisé; le programme *Lexica* favorise la création de réseaux sémantiques. On analyse les stratégies de recherche des utilisateurs dans le projet *Wordnet*, fondé sur une base de données lexicales permettant de faire des associations sémantiques (Goodfellow, 1995). Ashworth (1996) décrit le fonctionnement d'un dictionnaire notionnel fonctionnel utilisant diverses ressources hypermédias.

4.2.1 Les recherches

Aust *et al.* (1993) ont comparé l'utilisation des dictionnaires électroniques bilingue et monolingue à l'utilisation des dictionnaires version papier pour la lecture d'un article de revue en espagnol. Les résultats indiquent que les sujets ont consulté davantage les versions électroniques que les versions papier des dictionnaires, que l'accès aux dictionnaires électroniques était plus facile et plus rapide et que les sujets préféraient utiliser les dictionnaires bilingues. Par ailleurs, les auteurs n'ont noté aucune différence lorsqu'ils ont évalué la compréhension et le rappel. Dans cette expérience, ils ne se sont pas intéressés à l'acquisition du vocabulaire. Kubota et Ohtake (1997) en sont arrivés aux mêmes résultats quant à la fréquence d'utilisation des dictionnaires électroniques; toutefois, ils n'ont pu établir de différence quant à la compréhension de l'écrit.

Dans une expérience semblable, Leffa (1992) note un gain important en compréhension de l'écrit en ayant recours au dictionnaire électronique, puisque ses sujets étudiant l'anglais L2 ont compris 86 % des passages lus, alors que ceux qui ont utilisé le dictionnaire traditionnel en avaient compris 62 %.

Sous peu, il sera sûrement possible d'entendre le mot avec ses diverses variations phonétiques, selon les dialectes et les registres, ou d'avoir accès à des dictionnaires phonétiques, selon le modèle présenté par Sobkowiak (1994). Ce type d'outils devra faire l'objet de recherches pour en vérifier l'efficacité.

4.3 L'accès aux textes par les technologies

Le Web permet l'accès facile à des textes d'actualité en langues étrangères. Plusieurs journaux y sont quotidiennement accessibles et peuvent servir de sources de documents authentiques pour l'enseignant désireux d'y exposer ses étudiants. Des sites se spécialisent dans des textes littéraires; d'autres fournissent des informations factuelles sur les pays, les zones touristiques, les menus des restaurants ou des bulletins météo: autant de possibilités d'exploitation qui pourraient servir en classe de langue étrangère.

Le professeur doit identifier les sites qui l'intéressent en se servant des outils de recherche, comme *Lokace*, *Youpi*, *La toile du Québec*[3] en français ou *Alta Vista*, *Yahoo!*, *Inference Find* ou encore utiliser les sites déjà identifiés dans des forums de discussion. Les textes peuvent être imprimés et mis en mémoire pour l'élaboration d'exercices (questions sur le texte, exercices lacunaires, identification des structurants, repérage du vocabulaire spécialisé). Cependant, il faut se rappeler que les auteurs de ces textes ont des droits qu'il faut respecter, soit en citant explicitement la référence, soit en demandant à l'auteur l'autorisation de reproduire son texte, si on compte en faire une utilisation élargie.

L'utilisation d'encyclopédies sur CD-ROM, comme *Encarta* pour l'anglais, *Larousse multimédia encyclopédique* ou *Zysomis* pour le français, *Enciclopedia Multimedia Durván* pour l'espagnol, constitue un moyen supplémentaire d'exposer les apprenants à d'autres sources de documents authentiques pouvant servir de point de départ à des activités de lecture. Les répertoires de textes tirés de revues ou de journaux, comme *CD-Actualités*, *L'histoire au jour le jour*, sont également des sources de référence pouvant être utilisées à des fins pédagogiques. Par exemple, à partir d'un thème donné, on peut faire la liste de tous les articles touchant ce sujet, les imprimer et les manipuler pour produire des activités pédagogiques. Également, on peut trouver différents produits sur ce support, touchant divers domaines (arts, sciences, histoire, tourisme), qui peuvent intéresser les apprenants.

Conclusion

Dans ce chapitre, nous avons voulu illustrer comment l'ordinateur pouvait servir à l'enseignement de la lecture. Les recherches expérimentales spécialement menées sur des produits hypermédias démontrent bien l'utilité de ce moyen technologique pour l'apprentissage de la lecture et du vocabulaire. Les développements rapides de nouveaux produits sur disque compact, tant sur le plan des produits grand public, comme les ouvrages de référence, que des produits strictement pédagogiques, ainsi que l'ampleur de l'expansion du Web, permettront un accès à un nombre de plus en plus grand de sources d'information; il ne reste à l'enseignant et à l'apprenant qu'à en tirer profit.

Nous avons passé en revue les ressources technologiques disponibles à l'enseignant pour le développement des diverses habiletés et les travaux de recherche qui permettent d'en évaluer l'efficacité. Nous verrons maintenant, dans le chapitre qui suit, comment évaluer les outils pédagogiques sur support informatique mis à la disposition des enseignants et, au chapitre 6, comment on peut mettre en œuvre une infrastructure permettant l'intégration des technologies aux programmes d'enseignement.

Notes

1. Il s'agit d'un système-auteur réduit qui permet la création d'un nombre limité de types d'activités.
2. Le système-auteur GALT contient ce programme identifiant les cheminements des usagers.
3. Pour la liste des outils de recherche en français: http://www.tcd.ie/ CLCS/francais/francaishome.html

Chapitre 5

L'évaluation de didacticiels

Même si l'évaluation de matériel didactique a toujours intéressé le monde de l'enseignement, c'est avec la venue du matériel informatisé que l'évaluation a pris une place encore plus importante, étant donné le manque de familiarité du monde enseignant avec ce nouveau médium. C'est à l'évaluation de ce type de matériel didactique que nous nous limiterons.

Dans un premier temps, on s'est affairé à établir des typologies permettant aux utilisateurs de s'y retrouver dans l'ensemble des outils existants. On s'est ensuite mis à élaborer des grilles de sélection et de classification de didacticiels, à partir de différents critères devant servir à l'évaluation. On a vu également, plus récemment, la mise en place d'expérimentations dans le but d'évaluer le matériel didactique mis à l'essai et les interactions qu'il pouvait susciter. Enfin, dans une perspective plus théorique, on a mis en place des protocoles de recherche dans le but d'évaluer l'efficacité de ce matériel.

5.1 Les typologies

À partir d'une description de 14 types de didacticiels, Wyatt (1987) définit trois groupes plus englobants, soit: les programmes éducatifs, comme les tutoriels, certains jeux, les exerciseurs; les programmes collaboratifs, comme les simulations, les logiciels de découverte; et les programmes d'aide, comme les outils d'aide à l'écriture (traitement de texte, correcteur orthographique). Selon Burston (1993), ce sont les programmes d'aide qui permettent le plus de latitude aux enseignants et qui sont les plus rentables pour les apprenants en langues.

D'autre part, Elkabas (1989) regroupe les didacticiels de langues sous six types: tutoriel, exerciseur, aide à la lecture, aide à l'orthographe, jeux et simulations. Ces logiciels font appel à un fonds commun d'exercices, tels que la répétition, la substitution, la progression multipartite, la corrélation, la transformation, les choix multiples, l'exercice à trous, l'exercice de closure et la question fermée. Toutefois, comme il le fait remarquer, ce découpage reflète une vision plutôt mécaniste de l'enseignement des langues.

5.2 Les grilles d'évaluation

Des grilles d'évaluation sont apparues au fur et à mesure de l'évolution des matériels proposés. Certaines visaient l'évaluation de didacticiels en général, comme celle du Conseil des ministres de l'Éducation du Canada (1985), de Mataigne (1987), la grille MicroSIFT élaborée par le Northwest Regional Educational Laboratory (1982) et le guide *Educational Software Preview Guide* (1988) du Educational Software Evaluation Consortium. On trouve également des grilles d'évaluation pour les didacticiels axés sur l'apprentissage des langues, comme celle de Hart et Garrett (1985), de Otman (1989) et CALICO (Hubbard, 1987).

D'autre part, Formation linguistique Canada a procédé, en 1994, à l'évaluation du programme CALÉ, un didacticiel pour l'apprentissage du français, considérant 33 rubriques. Cette évaluation exhaustive permet à ceux qui la consultent d'avoir une idée précise du programme. Les critères et la méthodologie d'évaluation pourraient être appliqués à d'autres programmes. Owston (1987) présente une approche fondée sur des critères d'évaluation accompagnée d'une échelle qui permet d'évaluer le contenu pédagogique, la présentation, la documentation et les caractéristiques techniques. Giardina *et al.* (1995) proposent un modèle tridimensionnel applicable tant à l'élaboration qu'à l'évaluation d'un environnement multimédia, tenant compte des éléments structurels (objectifs, représentations, stratégies), des critères qualitatifs (clarté, cohérence, pertinence, analogie, redondance, contrôle) et des niveaux d'intervention (perceptif, transactionnel, cognitif, pédagogique, évaluatif). Dans un effort pour uniformiser la compréhension des critères, Micceri *et al.* (1989) proposent un modèle d'évaluation permettant une corrélation interjuges élevée.

Dans ces instruments, on demande en général d'analyser les objectifs du programme et son contenu sur le plan de l'exactitude, de l'organisation, de la progression et de la cohérence, de l'intégration au programme d'études et de la correction de la langue. On demande de décrire l'équipement nécessaire, le fonctionnement du didacticiel, son architecture, ses modes d'accès (entrée et sortie) et les avantages qu'apporte son utilisation. On suggère également d'évaluer la présentation quant à la facture des pages-écrans (texte et image), à la qualité des segments sonores et de la programmation (présence/absence de problèmes techniques), aux directives, à la convivialité de son utilisation, au contrôle laissé à l'utilisateur, à l'aide fournie à l'utilisateur, aux possibilités pour l'enseignant d'intégrer du matériel, au type d'analyse de réponses, au mode d'interaction suggéré, au type de rétroaction, à la gestion des apprentissages ainsi qu'à la documentation afférente. Toutefois, il faut se rappeler que ces grilles et ces modèles d'évaluation dépendent en partie des avancées technologiques. Feyten et VanDeventer (1993) ajoutent qu'il est important que l'évaluation décrive réellement ce que fait le didacticiel, afin que l'enseignant puisse déterminer si le logiciel lui convient.

Certaines grilles ont été élaborées en préconisant une approche pédagogique, comme celle de CALICO, qui favorise un enseignement explicite de la langue. Le modèle proposé par Hubbard en 1987, raffiné en 1988, puis en 1996, permet, en examinant un didacticiel, d'établir l'approche pédagogique sous-jacente et les stratégies d'apprentissage qu'il encourage, ce qui laisse à l'évaluateur une part importante de subjectivité. Ce modèle constitue un cadre pour l'évaluation de didacticiels en langue qui permet d'identifier l'approche pédagogique, le type de méthodologie, la description détaillée du fonctionnement, les préalables pour l'utilisateur, afin d'en définir les mécanismes d'implantation dans un cadre pédagogique particulier. Ce cadre très englobant permet de tenir compte de diverses dimensions nécessaires au choix éclairé de didacticiels et à une implantation judicieuse de l'enseignement assisté par ordinateur.

Des organismes s'intéressent particulièrement à l'évaluation de logiciels éducatifs. Feyten et VanDeventer (1993) dressent une liste où on retrouve trois organismes canadiens: le ministère de l'Éducation de l'Alberta, le ministère de l'Éducation de la Colombie-Britannique et la faculté d'éducation de l'Université York. Il existe également des répertoires de didacticiels offrant une évaluation selon des critères définis par les éditeurs. Des revues scientifiques (*La Revue canadienne des langues vivantes*, *Québec français*, *Hispania*, *French Review*, *CALICO Journal*) présentent des évaluations de didacticiels dont les critères sont, cette fois, déterminés par leurs rédacteurs. Plus récemment, on peut avoir accès, sur un site Web[1], à un répertoire de didacticiels pour l'enseignement des langues pour lesquels on fournit une brève évaluation à partir de critères prédéfinis (Foelsche, 1996). Outre la consultation, l'utilisateur peut également ajouter une description de didacticiels. Toutefois, une équipe se réserve le droit d'évaluer les descriptions soumises.

Les distributeurs de logiciels sont souvent prêts à envoyer une version abrégée ou complète du didacticiel pour une période d'examen (habituellement de 30 jours), ce qui permet à l'enseignant de se familiariser avec le logiciel, de l'évaluer et de déterminer l'opportunité et la possibilité de son intégration dans le programme d'enseignement.

5.3 Les mises à l'essai

Les typologies et les grilles d'évaluation permettent d'évaluer un programme comme une entité objective. Or, l'utilisation d'un didacticiel se fait dans un cadre précis; c'est souvent lorsqu'on utilise un programme avec le public cible que l'on peut vraiment se prononcer sur sa convivialité et son utilité. Toutefois, si on veut que cette mise à l'essai permette de générer des résultats sur l'opportunité d'utiliser le programme, elle doit être dirigée de façon rigoureuse. Knussen *et al.* (1991) proposent six types de modèles d'évaluation de produits hypermédias:

- le modèle expérimental;
- le modèle recherche et développement;
- le modèle éclairant;
- le modèle décisionnel;
- le modèle professeur-chercheur;
- l'étude de cas.

Alors que les modèles expérimental et recherche et développement s'apparentent davantage à un processus où on évalue l'efficacité, le modèle éclairant s'apparente à la mise à l'essai et est utile lorsque, pour prendre une décision éclairée, on veut savoir comment se comporte une innovation pédagogique dans un contexte organisationnel précis avec ses enseignants et ses apprenants. Le modèle décisionnel se veut orienté vers l'organisation, alors que les deux derniers modèles sont à échelle réduite.

Ainsi, en observant les utilisateurs du didacticiel aux prises avec la navigation, la compréhension des menus et des directives, les réactions aux rétroactions fournies par le programme et en évaluant les apprentissages réalisés à la suite de l'utilisation du programme et la rétention de ces derniers, on pourra vraiment s'assurer que le programme convient aux apprenants à qui l'on s'adresse. Bourguignon (1990) souligne que cette tâche est délicate, mais enrichissante pour l'observateur. Souvent, en plus d'observer les utilisateurs, on leur demande de répondre à des questionnaires d'évaluation ou on procède à des entrevues permettant d'évaluer divers aspects du programme; ces réponses servent à corroborer les observations. Dans une perspective de recherche, on utilise de plus en plus la verbalisation concourante, où les utilisateurs expriment à voix haute leurs réflexions pendant l'utilisation du programme d'enseignement.

Ces recherches, comme le soulignent Chun et Plass (1995), ont pour but de fournir des informations quant au processus d'apprentissage et à l'impact de l'utilisation de certaines stratégies d'enseignement à l'aide de matériel informatisé et de certains modes de présentation. Garrett (1991) suggère de mettre en place de façon systématique ce type de protocole de recherche. Barfurth *et al.* (1994) présentent une méthode d'analyse qualitative, appliquée à des environnements pédagogiques informatisés, ayant recours à diverses sources d'information: observations, entrevues, fiches de cochercheur (à l'intention des apprenants), débriefing, collectes de documents, photos, plans, questionnaires, journaux de bord, tests. Cette méthode permet de cerner un ensemble de facteurs pouvant influencer les apprenants dans leurs démarches d'apprentissage.

On trouve dans les écrits la description de mises à l'essai pour différents programmes. À titre d'exemple, nous identifions, au tableau 5, quelques mises à l'essai postérieures à 1990, pour l'apprentissage des langues non maternelles, en précisant les types de programme et les publics auxquels ils s'adressent.

Tableau 5
Mises à l'essai – Exemples

Auteur	Année	Langue	Clientèle	Type
Allan	1990	français	collégiale	exerciseur (grammaire)
Bangs	1990	espagnol	universitaire	vidéodisque (langue des affaires)
Bourguignon	1990	anglais	secondaire	12 logiciels différents
Chanier	1996	français	adulte	CD-ROM (langue des affaires)
Chun et Plass	1995	allemand	universitaire	CD-ROM (lecture et vocabulaire)
Desmarais	1996	espagnol	adulte	vidéodisque (langue et communication)
Eastmond et Elwell	1994	japonais français espagnol	primaire	vidéodisque (langue et culture)
Legenhausen et Wolff	1990	anglais	universitaire	simulation – exercice lacunaire
Liu	1993	anglais	adulte	hypermédia (vocabulaire)
Sprayberry	1993	espagnol	secondaire	multimédia (compréhension)

Ces mises à l'essai se situaient, pour les unes, dans le cadre d'une évaluation formative pour des produits en développement (Bangs, 1990; Chanier, 1996); les autres suivaient le modèle inspirant (Bourguignon, 1990; Eastmond et Elwell, 1994; Desmarais, 1996).

Les résultats indiquent souvent un accroissement significatif des connaissances, une attitude favorable à l'apprentissage à l'aide de l'ordinateur, une diminution du niveau d'anxiété au fur et à mesure de l'utilisation du programme, une réaction différente au même logiciel selon le niveau de scolarité des apprenants, l'utilisation de stratégies différentes selon les apprenants, un intérêt marqué pour les apprenants à utiliser les programmes qui leur sont proposés, à tenir compte des rétroactions fournies par le programme, à travailler à leur propre rythme, à répéter un exercice ou des éléments à leur gré, à améliorer leur score à l'abri des remarques et à identifier leurs parcours antérieurs.

Par ailleurs, on critique le fait que l'analyse des réponses ne soit pas assez fine pour accepter des réponses valables, mais non prévues au programme. Legenhausen et Wolff (1990) mettent en doute la valeur pédagogique des applications évaluées pour l'apprentissage de la communication.

5.4 L'évaluation de l'efficacité

Les mises à l'essai présentées ci-dessus donnaient souvent une image impressionniste de l'utilisation d'un didacticiel en fonction d'un contexte précis d'implantation, sans comparaison avec un groupe témoin. Étant donné les prétentions des élaborateurs/producteurs de produits informatisés, les investissements importants que nécessitent ces outils pédagogiques et le scepticisme fréquent des enseignants quant à l'utilité de ces produits, on en évalue l'efficacité en comparant les résultats obtenus avec ces outils et ceux obtenus par l'utilisation d'autres moyens d'apprentissage. Le plus souvent, un groupe expérimental utilise un didacticiel pendant que le groupe témoin fait des exercices traditionnels papier-crayon reprenant le contenu du programme. De telles recherches psychométriques doivent être menées en respectant les contraintes et les exigences des protocoles expérimentaux.

Ces études visent en général à déterminer les habiletés spécifiques, les domaines, les niveaux et les publics pour lesquels les applications informatiques sont les plus efficaces. Elles permettent également d'identifier les types d'apprenants (âge, style d'apprentissage, personnalité) davantage susceptibles de bénéficier de ce genre d'outils et les stratégies d'apprentissage les plus efficaces à recommander aux utilisateurs. Certaines études visent à évaluer le cadre d'apprentissage (environnement informatique, système scolaire) le plus favorable au développement des habiletés spécifiques. Roblyer *et al.* (1988), reprenant les synthèses antérieures et examinant plus de 100 études, menées entre 1980 et 1988, touchant l'enseignement assisté par ordinateur en général, concluent:

- qu'on note généralement une réduction moyenne de 30 % du temps d'apprentissage, ce qui peut être avantageux, surtout pour une population adulte;
- que les apprenants aiment généralement utiliser l'ordinateur, ce qui ne signifie pas pour autant un intérêt accru pour le domaine à l'étude, à l'exception du traitement de texte, qui semble motiver les apprenants à écrire davantage;
- que l'enseignement assisté par ordinateur semble plus efficace à titre de complément à l'enseignement traditionnel qu'à titre de substitut;
- que l'utilisation des didacticiels semble profiter davantage aux apprenants plus lents (plusieurs didacticiels ayant été élaborés spécifiquement pour cette clientèle);
- que l'enseignement assisté par ordinateur semble particulièrement efficace en lecture.

De plus, dans une synthèse plus récente de résultats d'expérimentations, Chapelle *et al.* (1996) ajoutent qu'on note généralement un rendement légèrement supérieur en faveur de ceux qui utilisent l'ordinateur.

Dans son analyse des travaux de Roblyer *et al.* (1988), Dunkel (1990, 1991) fait remarquer que seulement trois études traitaient spécifiquement de l'enseignement des langues. Depuis lors, plusieurs expérimentations ont été menées, ce qui élargit la banque de résultats disponibles. Dans la conduite de telles études, elle recommande:

1. de choisir un didacticiel de bonne qualité qui vise une habileté faisant partie du programme d'enseignement;
2. d'exposer les apprenants au didacticiel pendant une période suffisamment longue pour qu'il y ait apprentissage;
3. de tenir compte de la conception du didacticiel, des tâches proposées, du cadre d'enseignement et de l'expérience des sujets.

À titre d'exemple, nous rapportons, au tableau 6, quelques recherches expérimentales postérieures à 1990, portant sur l'enseignement des langues non maternelles, et un aperçu des résultats obtenus.

Tableau 6

Recherches expérimentales – Évaluation

Auteur	**Année**	**Langue**	**Clientèle**	**Type**	**Résultats**
Chun et Plass	1996	allemand	universitaire	multimédia (divers outils de référence)	texte et image plus efficace que texte et vidéo
Desmarais *et al.*	À paraître	français	universitaire et adulte	multimédia/ vidéo	gain sur certains mots selon le média
Hughes	1993	espagnol	universitaire	multimédia/ film/film et sous-titres en L1	gain en vocabulaire pour les trois groupes – un peu supérieur pour le groupe multimédia
Petersen	1990	anglais	adulte	*VOXBOX*/ enseignement traditionnel	*VOXBOX* gain supérieur/significatif
Shiu et Smaldino	1993	mandarin	adulte	ordinateur/ bande sonore	ordinateur plus utile pour l'apprentissage des caractères bande sonore plus utile pour la compréhension
Thuy	1992	anglais	adulte	multimédia/ papier-crayon	gain supérieur pour le groupe expérimental

Ces études arrivent à déterminer l'efficacité des didacticiels en fonction des progrès réalisés, du temps nécessaire à l'apprentissage, des comportements et de l'attitude des utilisateurs ainsi que du niveau d'anxiété suscitée par le programme. Par leurs recommandations, ces études ont également pour effet d'aider les élaborateurs à proposer des outils plus performants et plus susceptibles de donner de meilleurs résultats.

5.5 L'évaluation des interactions

D'autres recherches s'intéressent à l'analyse des interactions entre l'apprenant et l'ordinateur ainsi qu'entre les apprenants lorsque l'apprentissage se fait en petits groupes autour d'un ordinateur.

5.5.1 Interactions apprenant-ordinateur

Les recherches sur les interactions apprenant-ordinateur visent à déterminer comment les apprenants utilisent les logiciels mis à leur disposition et les options qui leur sont offertes. Les concepteurs de didacticiels intègrent de plus en plus d'options à leurs produits. Sont-elles utiles? Les utilisateurs s'en serventils? Et comment? Les didacticiels favorisent souvent l'utilisation de stratégies particulières d'apprentissage. Par exemple, les utilisateurs d'un logiciel de lecture font-ils les activités d'anticipation qui leur sont proposées ou passent-ils directement à la lecture du texte? Les explications grammaticales ou les glossaires sont-ils utilisés? Quels types d'apprenants les utilisent davantage? Chapelle (1994) soutient que ce genre de recherche est primordial pour identifier et catégoriser les types de didacticiels en fonction des interactions qu'ils engendrent.

Stevens (1991) fait remarquer qu'il faut observer de façon indirecte les apprenants, par opposition à une observation avec témoins ou caméscope, si l'on veut avoir une idée exacte de ce que font les utilisateurs en travail autonome. C'est ce qu'il a fait pendant l'évaluation du logiciel *Super Cloze*, pour découvrir que les utilisateurs se comportaient de façon différente s'ils ne se savaient pas observés.

À titre d'exemple de résultats obtenus, Brasche (1991) indique que ses sujets utilisaient la traduction dans une activité de compréhension de l'écrit, même s'ils connaissaient le sens d'un mot, simplement pour vérifier et parce qu'elle était disponible (voir chapitre 4 sur la lecture). Il en est ainsi des sujets de Chun et Plass (1996), qui utilisaient les outils de référence disponibles même s'ils connaissaient déjà le sens des mots. Blake (1992) note que les sujets de niveau débutant utilisent différemment le glossaire que ceux de niveau intermédiaire: les débutants cherchent davantage des noms; les plus avancés cherchent des verbes avec la forme infinitive, alors que les débutants utilisent la forme fléchie.

Hsu *et al.* (1993), à la suite d'une recherche portant sur l'exploration que font les apprenants des ressources d'un didacticiel pour l'apprentissage de l'anglais écrit, concluent que les apprenants ne font l'exploration que s'ils y sont incités et que si on leur indique comment la faire. Par ailleurs, Liu et Reed (1994) ont découvert, à la suite d'une recherche qu'ils ont menée, ayant recours à un logiciel hypermédia pour l'enseignement de l'anglais L2, que les sujets (63 étudiants de niveau universitaire) utilisaient des fonctionnalités différentes selon leur style d'apprentissage. Ainsi, les sujets appartenant à la catégorie du style cognitif dépendant du champ (global) ont davantage eu recours aux segments vidéo pour la compréhension du vocabulaire, alors que les sujets appartenant au style cognitif indépendant du champ (analytique) ont utilisé les options associées aux mots. Ils en arrivent à la conclusion que l'hypermédia fournit une variété de ressources permettant aux utilisateurs d'apprendre en ayant recours à des moyens d'apprentissage qui leur sont plus conviviaux. Il importe donc de fournir une variété d'options aux apprenants afin de tenir compte des diverses stratégies d'apprentissage.

Poussant un peu plus loin le lien entre l'apprentissage assisté par ordinateur et les stratégies d'apprentissage, les recherches sur les tutoriels dits «intelligents» essaient d'abord de déterminer les stratégies utilisées par les apprenants, puis de les orienter dans leur apprentissage en fonction de leurs préférences. Le concept d'environnement adaptif, proposé par Carver *et al.* (1996), va dans ce sens. Par ailleurs, Bull (1997) favorise une orientation un peu différente, dans l'élaboration d'un didacticiel visant l'enseignement de l'usage du pronom en portugais, en identifiant les stratégies utilisées par les apprenants, mais en les orientant vers des stratégies jugées plus efficaces par les spécialistes du domaine.

5.5.2 Interactions apprenant-apprenant

Des chercheurs s'intéressent au discours généré par les apprenants qui travaillent en dyades autour d'un ordinateur. On compare les interactions selon le type de programme utilisé, l'âge des sujets, le niveau de connaissance de la langue cible, la formation des dyades (sexe, niveau de connaissance).

Piper (1986) a analysé les interactions d'adultes apprenant l'anglais et utilisant trois logiciels de type linguistique. Les interactions ont été très courtes, sans distinction entre les logiciels. Cependant, durant la préparation à l'utilisation du programme, elles ont été plus longues, indiquant que l'étape de planification pouvait générer des interactions.

Young (1988) a comparé les interactions entre les apprenants utilisant deux types de didacticiel: des exerciseurs et des simulations. Avec les exerciseurs, les apprenants s'en tenaient à la discussion d'éléments linguistiques, alors qu'avec les simulations, les interactions étaient plus riches. Dans le même sens, Abraham et Liou (1991) ont étudié les comportements de six adultes apprenant l'anglais comme langue seconde. Ils ont utilisé un tutoriel sur l'emploi de l'article, un programme de conversation simulée (*ELIZA*) et une simulation

(*Limonade Stand*). C'est la simulation qui a suscité le plus d'interactions entre les utilisateurs, alors que le tutoriel a favorisé l'explicitation de règles formelles sur l'utilisation de l'article.

Pennington et Esling (1996) rapportent une expérience que ce dernier a menée, dans laquelle il a comparé la quantité d'interactions générées par des apprenants et des locuteurs natifs qui ont utilisé un logiciel de closure (*Rhubarb*), qui ont employé un logiciel de solution de problèmes (*InVENNtion*) ou qui ont participé à une conversation libre. Le programme de solution de problèmes a favorisé la production d'un plus grand nombre d'énoncés et de mots par minute, alors que la conversation libre a provoqué la production d'énoncés plus longs. Par ailleurs, les résultats des locuteurs natifs sont plus élevés dans l'ensemble. Ces résultats indiquent que la compétence linguistique et le type de tâches influencent le genre d'interactions générées. D'après Plowman (1991), ce n'est pas le seul fait de mettre des apprenants devant un ordinateur qui suscitera des interactions, mais bien les problèmes à résoudre inhérents au programme, qui nécessiteront la collaboration entre les utilisateurs. Il semble également que les tâches qui encouragent la collaboration suscitent davantage d'interactions que celles qui stimulent la compétition.

Meskill et Jiang (1996) ont mené une expérience dans le même sens, s'échelonnant sur une période de deux ans, avec des sujets préuniversitaires de niveau intermédiaire apprenant l'anglais L2, ayant recours à huit produits multimédias. À la suite de l'analyse des interactions, les chercheurs concluent que le type de multimédia et les tâches à effectuer jouent un rôle déterminant sur les interactions générées. Les images fixes, exigeant une interprétation, favorisent davantage les interactions que la vidéo, qui incite l'utilisateur à simplement recevoir l'information transmise. La discussion, la comparaison et la rédaction en dyades favorisent un plus grand nombre d'interactions et de meilleure qualité. De plus, lorsqu'il y a appui de l'enseignant, les interactions sont également plus nombreuses.

D'autres recherches visent à déterminer l'effet du travail en petits groupes sur l'apprentissage. Chang et Smith (1991) ont comparé l'impact du travail individuel et en dyades. Ils n'ont noté aucune différence significative, quant à la compréhension, entre les sujets (jeunes adultes du *Air Force Academy*) de niveau débutant en espagnol ayant travaillé de façon individuelle et en dyades sur deux leçons d'espagnol tirées du programme *Zarabanda*, présenté sur vidéodisque interactif. Toutefois, le fait de travailler en petits groupes n'a pas nui non plus à la compréhension, puisque les résultats ont été, dans l'ensemble, équivalents: cela pourrait influencer les investissements en matériel informatique. Par ailleurs, les sujets ayant travaillé en dyades étaient plus enclins à traduire les mots des dialogues qu'à comprendre de façon globale le contenu de la vidéo, les entraînant ainsi dans des échanges presque exclusivement en anglais.

Dans le même sens, Pujol-Ferran (1993) conclut, de ses observations d'apprenants hispanophones de niveau intermédiaire en anglais, que le travail en paires autour d'un ordinateur se faisait en espagnol: les sujets utilisaient la langue maternelle pour parler de l'orthographe, du fonctionnement et des étapes à effectuer. Cependant, ils ont eu recours à la langue cible lorsqu'ils devaient produire un texte écrit et qu'ils le formulaient oralement avant de l'écrire. Leur attention était alors centrée sur la cohérence des idées ainsi que sur la correction lexicale et grammaticale.

Chapelle (1990) propose un modèle d'analyse des interactions s'inspirant de Sinclair et Coulthard (1975) pour analyser le discours enseignant-apprenant. Meskill et Jiang (1996) ont choisi un autre modèle pour analyser les interactions en fonction des actes de parole générés et de leur intensité linguistique (complexité du contenu langagier). Par ailleurs, Bueno et Nelson (1993) ont mené une étude dans laquelle des apprenants de niveau débutant en espagnol ont utilisé le programme *Salamanca*. À partir de diverses sources (observations directes, entrevues, exemples de production écrite, traces informatiques), ils ont identifié les interactions des apprenants et ont développé une autre typologie permettant de classer les interactions. Emerson (1993) a adopté un autre cadre d'analyse des comportements des enfants de la maternelle apprenant l'anglais L1 et L2 à l'aide de l'ordinateur. L'auteur conclut son étude en disant que les apprenants de L1 ont utilisé plus souvent les fonctions d'enseignement et que les apprenants de L2 ont utilisé davantage les formes linguistiques associées au tour de parole. Les deux groupes ont fait preuve de comportements coopératifs.

Par ailleurs, Johnston et Milne (1995) se sont intéressés aux interactions suscitées en classe lorsque le professeur gère le fonctionnement d'un programme multimédia présentant des situations réelles de communication, en les comparant aux interactions où le professeur n'a pas accès au programme. Le programme utilisé est fondé sur le vidéodisque *Quinze minutes* et présente des séquences vidéo auxquelles on a ajouté diverses options: transcription de la bande sonore, dictionnaire visuel, explications grammaticales contextualisées, suggestions d'exercices visant le réemploi du vocabulaire et des structures. Les auteurs concluent que le discours des enseignants qui ont utilisé le programme est différent: le discours de l'enseignant et des apprenants est plus communicatif, et le discours de type métalinguistique (explications sur la langue) est réduit. Toutefois, les chercheurs ne notent aucune différence quant au contrôle du temps de parole que le professeur assume (les deux tiers du temps de parole reviennent au professeur).

Conclusion

La stratégie d'évaluation choisie doit dépendre des objectifs visés. S'agit-il de mesurer une performance, de porter un jugement professionnel sur un programme, de choisir un produit multimédia parmi d'autres, d'évaluer l'atteinte des objectifs du programme, de juger de l'utilité ou de la valeur du programme, de prendre une décision quant à l'utilisation du programme dans un cadre institutionnel ou privé, de décider du mode d'utilisation des produits choisis? Comme le dit justement Lyman-Hager (1992), il y a divers types de didacticiels valables pour divers types d'apprenants, d'habiletés à acquérir et de contextes d'apprentissage.

L'évaluation constitue une dimension importante de l'utilisation des programmes informatiques à des fins de formation linguistique. Selon les possibilités et les besoins de son milieu, l'enseignant devra procéder à une évaluation des didacticiels qu'il utilise ou compte utiliser afin de s'assurer de leur utilité à des fins d'apprentissage. Par ailleurs, les résultats de l'évaluation fournissent aux chercheurs/enseignants des données à réinvestir dans de nouveaux produits mieux adaptés aux utilisateurs pour lesquels ils élaborent des applications pédagogiques. Mais, une fois les produits évalués, comment les intégrer dans un système d'enseignement? C'est ce que nous verrons au chapitre suivant.

Note

1. http://eleazar.dartmouth.edu/fldb/

Chapitre 6

La mise en place des technologies

L'intégration des technologies dans les pratiques d'enseignement a toujours suscité des remous, tant à cause des changements qu'elle entraîne qu'à cause des fonds supplémentaires qui doivent y être accordés et, parfois, retranchés ailleurs. Les opposants sont souvent prêts à associer l'essor actuel que connaissent les technologies à la venue triomphale du laboratoire de langues, dont on voit encore actuellement quelques vestiges. Cependant, on ne peut aujourd'hui penser à la didactique des langues sans imaginer les technologies qui y sont associées. À ce jour, enseigner une langue étrangère nécessite l'accès à des sources audio autres que la voix du professeur. La télévision, maintenant remplacée par la vidéo, est omniprésente dans les milieux d'enseignement des langues; cependant, son utilisation n'est pas toujours judicieuse. Quel étudiant n'a pas eu à écouter un long métrage en langue étrangère, alors qu'il n'a pu y reconnaître que quelques mots! À l'heure où l'informatique s'infiltre dans les classes de langues, on entend bien des grincements de dents... parfois justifiés.

Nous essaierons, dans ce chapitre, de définir un cadre d'implantation des technologies qui présuppose, d'une part, une infrastructure et, d'autre part, des enseignants prêts à affronter ce défi.

6.1 L'infrastructure

La mise en place des technologies nécessite une infrastructure particulière. On ne peut penser qu'un professeur saura se tirer d'affaire seul devant la panoplie de moyens technologiques mis à sa disposition, même si l'on prévoit un allégement de ses tâches d'enseignement. S'impose maintenant l'embauche de personnel qualifié, bien au fait des aspects techniques (vidéo, informatique, réseau, satellite, vidéoconférence, Internet), conscient de la problématique de l'enseignement des langues, intéressé et habile à partager ses connaissances. Certains ont choisi un directeur de laboratoire multimédia chez des praticiens de la didactique des langues ayant une formation en technologie éducative; d'autres ont opté pour un personnel technique spécialisé, intéressé à l'enseignement des langues et capable de transmettre ses connaissances techniques. Tanner (1995) précise que l'encadrement dépendra du type d'institution, de l'ampleur de ses opérations et du rôle qu'elle voudra voir jouer par son laboratoire.

Demaizière et Dubuisson (1992) proposent quatre types d'encadrement pour les séances d'apprentissage au laboratoire informatique.

1. Encadrement par le formateur habituel, qui favorise une meilleure continuité avec l'apprentissage en classe, mais qui peut nuire à la liberté d'action de l'apprenant.
2. Encadrement pédagogique spécifique à l'enseignement assisté par ordinateur, où le rôle du formateur doit être bien explicité.
3. Encadrement par une personne-ressource qui détient une compétence technique et pédagogique.
4. Encadrement pédagogique et assistance technique, pour éviter que des incidents perturbent le travail des apprenants.

Peu importe le type d'encadrement, une infrastructure est nécessaire pour:

- la mise en place et la gestion d'un centre de ressources ou d'un laboratoire où les documents multimédias sont accessibles;
- la formation des usagers (enseignants, apprenants);
- le dépannage des usagers;
- l'entretien de l'équipement (installation, réparation, achat, prévision, remplacement);
- le soutien à la recherche et à l'évaluation;
- la mise en place d'un système de documentation pour les logiciels et la publicité.

Scinicariello (1997) ajoute un rôle de recherche incessante de fonds supplémentaires qui, étant donné les développements technologiques, deviendra un atout important.

Otto (1991) propose un plan de mise en place des technologies en quatre étapes:

- formation poussée et intensive d'un groupe d'enseignants pouvant servir d'agents multiplicateurs dans leur milieu;
- évaluation continue des programmes existants, pour intégrer de façon appropriée les applications technologiques;
- mise en place et développement de l'expertise;
- réévaluation de la situation.

Ce plan de mise en place des technologies permet une intégration progressive qui respecte la culture organisationnelle du milieu de formation.

6.2 La formation des enseignants

L'utilisation des technologies présuppose de nouveaux rôles et de nouvelles compétences à développer chez les enseignants. Guir (1996) identifie ces nouvelles compétences à acquérir chez le formateur en général, ainsi que la modification de compétences acquises spécialement sur le plan des savoirs procéduraux (savoir comment procéder) et des savoir-faire procéduraux (savoir procéder, savoir opérer). Nous reprenons cette catégorisation aux tableaux 7 et 8 ci-dessous (Guir, 1996, p. 68).

Tableau 7
Savoirs procéduraux

Apparition de nouvelles compétences	Modifications de compétences
– nouvelles technologies de l'information-communication (méthodes et techniques pour la formation)	– conseil professionnel – développement personnel – méthodes d'individualisation de l'enseignement dans le contexte des technologies de l'information
– bases de données – bases de connaissances (méthodes et techniques)	
– méthodes d'enseignement à l'aide d'outils multimédias informatisés	

Tableau 8
Savoir-faire procéduraux

Apparition de nouvelles compétences	Modifications de compétences
– savoir utiliser les outils de technologie éducative	– savoir utiliser/appliquer les méthodes et moyens d'individualisation de l'enseignement dans le contexte des technologies de l'information
– savoir conduire/effectuer du tutorat et monitorat en autoformation multimédia	– compétences de communication/animation dans le contexte de l'utilisation des technologies de l'information pour la formation

Les enseignants doivent être capables de tirer profit des possibilités de suivi et d'individualisation qu'offrent ces nouveaux produits de formation, au risque d'en décourager l'utilisation par les apprenants qui ne voudront pas reprendre en groupe-classe ce qui peut être traité en mode autonome. De plus, même si l'importance de l'apprentissage en autonomie s'accroît, un accompagnement est nécessaire pour compléter les sessions de travail. L'apport des technologies vient appuyer le changement de paradigme déjà amorcé en fonction de l'apprentissage autonome.

La formation des enseignants relève, d'une part, des institutions et des maisons d'enseignement, qui doivent fournir à leur personnel des conditions permettant l'acquisition et le perfectionnement de ces savoirs et savoir-faire procéduraux, et, d'autre part, de l'enseignant lui-même, qui doit assumer sa propre prise en charge professionnelle. Il s'agit donc d'un effort sur tous les fronts. L'enseignant ne peut espérer que l'institution seule assume cette responsabilité, et vice versa.

6.2.1 La formation en cours d'emploi

La formation des enseignants en cours d'emploi peut prendre diverses formes: ateliers de formation[1], démonstration, exploration de matériel, suivi individuel, préparation de documentation, soutien dans des activités d'enseignement, élaboration de matériel sur mesure, colloques et séminaires. Le but de ces activités de formation est de véhiculer des connaissances sur le matériel disponible et son utilisation, ainsi que de rendre les apprenants aptes à l'employer le plus efficacement possible. Comme le matériel apparaît encore souvent sans documentation pédagogique, c'est par sa manipulation que l'enseignant se familiarisera avec son utilisation, l'évaluera, en examinera le fonctionnement et son intégration dans le programme d'enseignement. Comme Mydlarski (1995) le souligne avec justesse, l'utilisation des technologies viendra par leur intégration harmonieuse dans les programmes d'enseignement, et nous ajoutons que leur intégration viendra d'une formation adéquate des enseignants.

La réflexion sur les activités de formation permettra aux enseignants de prévoir les réactions des étudiants. Par exemple, Daud (1992) mentionne qu'à l'occasion d'une intervention de formation auprès d'enseignants, il a vite perdu le contrôle du groupe, chaque personne essayant de résoudre ses problèmes, soit individuellement, soit en petits groupes. La même situation se reproduit avec des apprenants qui, confrontés à l'ordinateur, n'écoutent plus les directives de l'enseignant et essaient de fonctionner de façon autonome ou à l'aide de leurs pairs.

L'utilisation des technologies plus sophistiquées (télématique, Web) présuppose des aspects logistiques (planification, gestion des documents, organisation matérielle) plus complexes à gérer que lorsque l'enseignant utilise un enregistrement audio, des exercices écrits ou son manuel. Ainsi, la manipulation des appareils au cours d'ateliers de formation permet à l'enseignant d'entrevoir ces détails techniques qui faciliteront l'utilisation des technologies et leur intégration dans le programme d'enseignement. Cette manipulation, sans faire de l'enseignant un expert technique, lui donnera certaines intuitions sur des procédures à suivre pour se dépanner. C'est aussi grâce à cette manipulation que l'enseignant sera plus au fait des nouveaux produits et des technologies récentes utilisées, et qu'il pourra mieux guider ses étudiants dans l'emploi qu'ils en feront et les dépanner au besoin.

6.2.2 La formation initiale

La formation initiale des enseignants dans les facultés d'éducation doit tenir compte de cette dimension. On trouve généralement dans les programmes de formation des maîtres un cours portant sur les médias d'enseignement. Toutefois, ce cours est souvent loin d'intégrer les développements récents (on y traite encore de l'utilisation efficace du rétroprojecteur), faute d'installations adéquates ou de formateurs universitaires bien au fait des nouveaux développements. Souvent, dans ce cours, on n'expose pas les futurs enseignants à l'utilisation des nouvelles technologies. Comme l'indiquent Pusack et Otto (1997), les programmes de formation des maîtres accordent peu d'importance aux nouvelles technologies. Puisqu'il s'agit d'habiletés à acquérir et d'appréhensions à surmonter, il est nécessaire que les futurs enseignants aient l'occasion de manipuler ces outils. À brève échéance, les savoirs et savoir-faire associés aux technologies feront partie des préalables pour le personnel enseignant.

Le micro-enseignement (courtes sessions d'enseignement suivies de périodes de rétroaction), l'utilisation de documents vidéo déjà produits présentant des activités d'enseignement, la production d'outils pédagogiques (devis d'initiation au courrier électronique, ajout d'activités dans un didacticiel ouvert, élaboration d'activités à l'aide d'un système-auteur) sont autant de moyens qui permettent d'intervenir dans des situations pédagogiques et d'engendrer des échanges fructueux.

L'utilisation même des technologies dans la formation initiale permettra au nouvel enseignant de prendre conscience des possibilités qui sont offertes. Par exemple, le formateur aurait intérêt à utiliser le courrier électronique pour des échanges avec les futurs enseignants. Le programme *Heritage OnLine*[2], dispensé par l'Université Antioch sur le Web, permet aux enseignants de se former à l'utilisation des technologies pour l'enseignement des langues. Il est certain que l'enseignant inscrit à ce programme aura une perspective réaliste et pragmatique de l'utilisation des technologies. Des programmes de formation à distance, comme ceux dispensés par le réseau de la Télé-Université (Université du Québec), pourraient également sensibiliser les enseignants à la problématique de l'apprentissage à distance.

6.2.3 L'autoformation

L'autoformation constitue également un aspect essentiel. Tella (1996) souligne que l'utilisation des technologies nécessite un investissement chez l'enseignant, qui devra consacrer du temps à s'informer, à expérimenter et à planifier pour s'approprier les technologies et les intégrer adéquatement dans ses pratiques éducatives. L'enseignant ne peut espérer que l'institution dans laquelle il œuvre ou que sa formation initiale puisse couvrir toutes les facettes de ce domaine en continuel développement. Sur ce plan, l'enseignant dispose de ressources de plus en plus nombreuses. Le Web, et sa croissance exponentielle, présente une source d'informations encore inégalée. On y trouve divers types de sites susceptibles d'intéresser le professeur de langues[3]:

- des sites présentant des documents dans la langue cible pouvant être exploités par les apprenants;
- des sites présentant des activités d'apprentissage à effectuer en ligne ou à télécharger pour une utilisation ultérieure[4];
- des sites présentant des stratégies pédagogiques ayant recours à des informations puisées dans le réseau;
- des groupes de discussion (FLTEACH, ESPAN, EDUFRANÇAIS, FROGMAG, FRANCO-L, TESL) où des pédagogues échangent librement leurs points de vue pédagogiques, leurs problèmes, leurs découvertes[5];
- des sites d'associations de professeurs de langues (de français, d'allemand, de japonais, etc.)[6];
- des sites de maisons d'édition ou de producteurs de didacticiels[7];
- des sites offrant des références pouvant guider les enseignants et les chercheurs en didactique des langues (ASKERIC, TESL)[8];

- des sites présentant des revues scientifiques électroniques[9];
- des sites présentant les adresses de divers outils de recherche permettant de trouver des informations (*Lokace*, *Youpi*, *Sympatico*, *La toile du Québec*, *Ecila*, *Yahoo!*, *Lycos*, *Alta Vista*);
- des sites que ces outils de recherche permettent d'identifier, en fonction d'un intérêt personnel; on y trouve des articles, des travaux de recherche, des mémoires de maîtrise[10] et, même, des thèses de doctorat;
- des sites présentant les actes des colloques[11].

Comme les adresses Web ont tendance à être modifiées avec le temps, nous n'avons pas jugé opportun d'en faire une liste exhaustive, mais de profiter de l'expérience de ceux qui ont fait des premières explorations. Paramskas (1993) et Shires (1993) présentent un répertoire de groupes de discussion pouvant intéresser les professeurs de langues (français, anglais, allemand, espagnol, langues slaves, langues asiatiques). Toutefois, comme ces groupes sont en continuelle évolution, ces listes sont loin d'être actuelles et exhaustives. Fidelman (1996) présente une introduction à Internet à l'intention des professeurs de langues et identifie certains sites généraux[12]. Bettin (1996) et Bisaillon (1996b) font état des péripéties de leurs voyages d'internautes et relèvent des adresses susceptibles d'intéresser les professeurs de français. El Zaïm (1996) note des renseignements pouvant guider particulièrement les professeurs de français L2. Beverly (1996) fait un tour d'horizon des sites pour l'enseignement de l'italien, alors que Shade (1996) fournit des renseignements fort utiles pour l'enseignement de l'espagnol. Quant à Bradin (1997), elle fait part de son expérience d'enseignante internaute, où elle est passée de l'euphorie à la désillusion, pour en arriver à une appréciation plus juste de l'utilisation d'Internet.

Outre ces ressources technologiques, l'enseignant désireux de s'informer sur ce sujet pourra consulter les revues scientifiques, qui traitent de façon sporadique de l'utilisation des technologies, comme *Québec français*, qui présente régulièrement une chronique sur le sujet, ou *La Revue canadienne des langues vivantes*, *French Review*, *Foreign Language Annals* ou *Hispania*, qui y consacrent de façon régulière des articles, ou encore *CALICO Journal*, *IALL Journal of Language Learning Technologies*, *On-CALL*, *ReCALL*, *CAELL* et *System*, qui traitent ce sujet de façon exclusive.

Certains se sont formés à l'utilisation des technologies par le biais de l'élaboration de matériel, qui peut prendre la forme de la création d'activités pédagogiques à l'aide de didacticiels ouverts permettant l'intégration d'un contenu langagier spécifique, comme *VoiceCart*, à l'aide de systèmes-auteurs, comme *WinCALIS*, *MacLang*, *Dasher* ou *Libra*, offrant des cadres prédéfinis d'activités pédagogiques ou de langage de programmation permettant une grande latitude, mais présentant une plus grande complexité, ou de langages-auteurs, comme *Multimedia ToolBook*, *Hyperstudio*, *Iconauthor* ou *Authorware*[13]. Les élaborateurs de matériel didactique ont toujours été conscients du travail que représente la construction d'outils pédagogiques. Que l'on pense à la conception d'un exercice spécifique en réponse aux besoins des apprenants, soit avec un support écrit et sonore ou avec un support vidéo, ou à l'élaboration de méthodes d'enseignement en collaboration avec des maisons d'édition, le développement de didacticiels constitue une tâche nécessitant, outre celles incluses dans la production du matériel traditionnel, l'ajout d'activités de programmation et de conception médiatique. Toutefois, ceux qui ont vécu cette expérience se sont familiarisés avec les technologies, et les mises à l'essai intégrées au processus de développement les ont sensibilisés aux réactions des apprenants.

6.3 La formation des apprenants

Autant les enseignants doivent se familiariser avec les nouveaux supports qui leur sont proposés, autant les apprenants eux-mêmes doivent être à l'aise avec ces nouveaux outils pour éviter les frustrations et le rejet. Dans les expérimentations dont on a fait état tout au long de cet ouvrage, une initiation importante à l'utilisation des systèmes employés était prévue, étape à ne pas négliger.

Même si, chez les jeunes apprenants, l'utilisation des technologies augmente la motivation à apprendre ou, du moins, le temps de contact avec les outils d'apprentissage, une initiation rigoureuse s'impose pour dépasser l'aspect ludique et favoriser la consolidation des apprentissages.

Conclusion

En dépit du fait que les ressortissants de la «génération Nintendo» semblent parfois plus à l'aise avec la manipulation des nouveaux appareils, leur utilisation à des fins d'apprentissage représente une autre problématique. Il ne suffit pas de cliquer ou de déjouer un adversaire, mais bien d'apprendre, tantôt de façon ludique, tantôt de façon heuristique, tantôt de façon inductive, tantôt de façon déductive.

À cause des nouveaux savoirs et savoir-faire nécessaires à l'utilisation des technologies, la formation des usagers (enseignants et apprenants) demeure la pierre d'achoppement de leur intégration à un programme d'enseignement. Plusieurs ressources sont à la disposition des usagers; mais leur consultation et leur exploitation nécessitent un engagement et un intérêt, du temps et des ressources financières sans lesquels on ne saura rentabiliser ces nouveaux moyens de formation et les intégrer progressivement dans les structures pédagogiques et institutionnelles existantes.

Notes

1. Healey et Magoto (1996) proposent un programme de formation axé sur l'utilisation et la production de divers programmes d'enseignement assisté par ordinateur et des ressources du Web.
2. On peut visiter le site de ce programme de formation à: http://www.hol.edu
3. Toutes les adresses présentées dans cet ouvrage sont sporadiquement mises à jour sur le site Web des Éditions LOGIQUES: http://www.logique.com/Desmarais/desmarais.html
4. Pour le français, l'adresse du site de Peckham est: http://fmc.utm.edu/~rpeckham/FRLESSON.HTM
5. On trouve une liste d'environ 40 groupes de discussion portant sur la didactique des langues sur le site: http://www.ling.lancs.ac.uk/staff/visitors/kenji/lis-tefl.htm
   On trouve une liste plus exhaustive sur le site: http://listserv.acsu.buffalo.edu/archives/
6. On trouve une liste d'associations professionnelles intéressées à l'enseignement du français et de l'anglais sur le site: http://www.wfi.fr/volterre/proforg.html
7. Fidelman présente des accès à des maisons d'édition ainsi que des évaluations de didacticiels à: http://agoralang.com/
8. Kitao propose des ressources pour l'enseignement à: http://www.ling.lancs.ac.uk/staff/visitors/kenji/onlin.htm
9. Kitao propose une liste de revues traitant de l'enseignement des langues à: http://www.ling.lancs.ac.uk/staff/visitors/kenji/journal.htm
   On trouve une autre liste sur le site: http://www.ling.rochester.edu/journals.html
10. Ellis présente son mémoire de maîtrise, où il discute de l'utilisation des ressources du Web pour l'enseignement du français langue seconde, sur le site: http://www.lane.educ.ubc.ca/thesis/thesis.htm
11. À peine quelques semaines après la tenue du colloque INET96, à Montréal, on pouvait en lire les Actes sur le site: http://info.isoc.org:80/isoc/whatis/conferences/inet/96/proceedings/index.htm
12. Cet article apparaît également en version électronique à: http://agoralang.com/calico/webarticle.html
13. Dans les Actes du colloque CALICO 96, on trouve la description de 16 outils de programmation (Burston et Fisher, 1996).

Chapitre 7

Prospective

L'utilisation des technologies permet de répondre à des besoins individuels et variés, libère l'enseignant des tâches répétitives au profit des tâches communicatives, multiplie les occasions de formation dans des environnements variés, facilite le contrôle et le suivi des apprentissages, accroît la flexibilité d'utilisation. Cependant, même si la gestion des institutions d'enseignement a cru que l'utilisation des technologies pouvait entraîner une diminution de la tâche des enseignants (ils n'ont qu'à envoyer leurs étudiants au laboratoire ou à les laisser regarder un document vidéo), il ressort que ceux qui en ont fait l'expérience reconnaissent que leur tâche s'est alourdie, mais que leur enseignement est souvent plus efficace. Il faut du temps pour se familiariser avec le matériel, préparer au besoin des outils supplémentaires, planifier les sessions de travail, explorer des modes d'utilisation qui conviendront aux stratégies d'apprentissage différenciées des apprenants et intégrer ce nouveau matériel dans le programme d'enseignement, tout en réglant les problèmes logistiques qui surgissent. Ceux qui ont voulu se lancer dans le développement de matériel, que ce soit la production de documents vidéo ou de didacticiels, ont également constaté la charge énorme de travail que cela comportait. Certains projets ont vu le jour... d'autres ont avorté!

De plus, l'utilisation des technologies engendre des investissements importants, au moment de l'achat de l'équipement, ainsi que pour son entretien et sa mise à jour. Outre les achats de matériel technique et didactique, il faut ajouter le coût des ressources humaines. Il ne suffit pas de disposer du matériel, mais il faut prévoir des ressources humaines pour en assurer une utilisation efficace et des scénarios créateurs pour assurer un encadrement adéquat.

Il faut se rappeler également que les technologies ne sont que des outils. Si on utilise un mauvais didacticiel ou un mauvais document vidéo, on aura des résultats médiocres, tout comme lorsqu'on se sert d'un manuel médiocre. C'est par son contenu et sa présentation qu'il faut juger le matériel. Aux outils technologiques de première génération, manquant de convivialité, ont succédé des outils plus complexes, intégrant des aides et des glossaires, et alliant le son, l'image et le texte. On peut penser qu'à court terme, les technologies de type analogique céderont le pas aux technologies de type audionumérique et que les cassettes audio disparaîtront pour laisser la place aux disques compact.

Les technologies ne cessent d'évoluer. Dans cet ouvrage, nous avons considéré les technologies plus largement utilisées, en omettant des technologies pour lesquelles il est encore trop tôt pour en faire le point, comme la vidéoconférence, l'enseignement à distance et le testing adaptatif, qui commencent à se tailler une place en didactique des langues. Or, que nous réserve la télématique (campus virtuel, conférence électronique, base de données et de connaissances, Web, service de bavardage), utilisée depuis le début des années 90; ou encore des outils totalement intégrés au programme d'enseignement, comme ceux que présente Godwin-Jones (1996), où des ressources accessibles sur le Web[1] (exerciseurs, activités de lecture et de compréhension auditive, jeux interactifs, références complémentaires) complètent son programme d'enseignement de l'allemand ou encore son programme auteur directement accessible sur le Web[2] (*Web-Course-in-a-box*); ou le site[3] de Peckham, qui présente divers types d'activités pour l'enseignement du français, ou des exemples d'activités mis à la disposition des enseignants[4]; ou encore du matériel d'enseignement produit par des maisons d'édition incluant un lien avec un site Web[5]? Quels seront les laboratoires de l'avenir? À l'ère de l'audionumérique, les portes du laboratoire s'ouvrent sur le monde[6]. Quelles applications ferons-nous des technologies en émergence, comme le téléordinateur sur réseau numérique à intégration de services, les technologies de gestion de l'information fondées sur la modélisation de l'information et sur la configuration sémantique, les simulations interactives dans un environnement Web hypermédia, le vidéophone, les systèmes tutoriels intelligents mis en place dans l'apprentissage coopératif, les campus virtuels et l'infrastructure technologique qui les sous-tendent, la formation à distance et les services aux interacteurs (apprenants, tuteurs, matériel)? À ce chapitre, l'ouvrage dirigé par Collis et Davies (1995) laisse entrevoir les énormes possibilités qu'offrent ces technologies en émergence dans le domaine de la formation.

Les enseignants qui auraient tendance à croire que la vague technologique qui déferle sur le monde de l'enseignement va bientôt s'essouffler, ne devraient pas trop y compter. Les ordinateurs ont envahi le monde de l'éducation et de la formation en entreprise, et les technologies de l'information s'y sont établies. Connell (1996) estime qu'en cinq ans, le nombre de produits informatisés destinés spécifiquement à l'enseignement et à l'apprentissage des langues a été multiplié par dix. Il serait plus réaliste de croire qu'à moyen ou à long terme, ce ne sera pas l'informatique qui remplacera le professeur, mais le professeur familier avec les moyens informatiques qui pourrait remplacer celui qui ne l'est pas!

Notes

1. http://www.fln.vcu.edu/gj/311/311.html
2. http://views.vcu.edu/wcb/intro/wcbintro.html
3. http://fmc.utm.edu/~rpeckham/FRLESSON.HTM
4. Voir le site de l'ACTFL: http://www.asu.edu/clas/dll/actfl-it

5. *Surf's Up*, matériel produit pour l'enseignement de diverses langues (français, espagnol, allemand), fournit des consignes didactiques pour l'utilisation de divers sites Web.
6. L'article de Scinicariello (1997) est très éloquent à cet égard.

Références bibliographiques

Abraham, R.G. et Liou, H.-C. (1991). Interaction generated by three computer programs. *In* P. Dunkel (Dir.), *Computer-assisted language learning and testing*, p. 85-109. Rowley, MA: Newbury House.

Allan, J. (1990). Evaluating CALL. *Language Learning Journal, 2*, p. 73-74.

Allan, M. (1985). *Teaching English with video*. Essex: Longman.

Allen, G. et Thompson, A. (1994). *Analysis of the effect of networking on computer-assisted collaborative writing in a fifth grade classroom*. Présenté au Annual Meeting of the American Educational Research Association. ED373777.

Alvarez de Eulate, E. et Del Rey Belinchon, J. (1996). De la vidéo-correspondance au roman-photo. *Le français dans le monde, 282*, p. 55-57.

Arrington, T.-R. (1993). *Use of video material in the Spanish for business language classroom at the second and third year levels*. Présenté au Annual Eastern Michigan University Conference on Languages and Communications for World Business and the Professions. ED370394.

Ashworth, D. (1996). Hypermedia and CALL. *In* M.C. Pennington (Dir.), *The power of CALL*, p. 79-95. Houston, TX: Athelstan.

Aust, R., Kelley, M.J. et Roby, W. (1993). The use of hyper-reference and conventional dictionaries. *Educational Technology, Research and Development, 41*, 4, p. 63-73.

Aweiss, S. (1993). *The effects of computer-mediated reading supports on the reading comprehension and the reading behavior of beginning American readers of Arabic as a foreign language (AFL)*. Présenté au Annual Meeting of the American Council on the Teaching of Foreign Languages. ED366218.

Baggarley, M.-A. (1991). *The effects of word processing on writing revision and writing quality of seventh-grade student*. Thèse de doctorat non publiée. University of North Carolina at Chapel Hill, Chapel Hill, NC.

Bailey, J. (1996). Teaching about technology in the foreign language class. *Foreign Language Annals, 29*, 1, p. 82-88.

Baltova, I. (1994). The impact of video on the comprehension skills of core French students. *La Revue canadienne des langues vivantes, 50*, 3, p. 507-531.

Bangert-Drowns, R.L. (1993). The word processor as an instructional tool: a meta-analysis of word processing in writing instruction. *Review of Educational Research, 63,* 1, p. 69-93.

Bangs, P. (1990). Case study: interactive video and language learning. *ETTI, 27*, 2, p. 146-154.

Barfurth, M.A., Basque, J., Chomienne, M. et Winer, L.R. (1994). Les instruments de collecte de données de recherche qualitative dans des environnements pédagogiques informatisés. *In* P. Bordeleau (Dir.), *Apprendre dans des environnements pédagogiques informatisés*, p. 485-548. Montréal: Éditions Logiques.

Barlow, M. (1996, février). Concordance programs. Teslca-l (groupe de discussion).

Barnes, M.-E., Medina, S.L., Plaskioff, J. et Robertson, M.M. (1993). *A metacognitive strategy for teaching essay planning to E.S.L. students: a computer-based instructional design*. Présenté au colloque annuel Teachers of English to Speakers of Other Languages. ED359802.

Barson, J. et Debski, R. (1996). Calling back CALL: technology in the service of foreign language learning based on creativity, contingency, and goal oriented activity. *In* M. Warschauer (Dir.), *Telecollaboration in foreign language learning*, p. 49-68. Honolulu, HI: University of Hawaii.

Basena, D. et Jamieson, J. (1996). CALL Research in second language learning: 1990-1994. *CAELL Journal, 7,* 1/2, p. 14-22.

Battaglia, P.F. (1995). Digital video and speech recognition in language learning. *In* F.L. Borchardt (Dir.), *Proceedings of the CALICO 95 Annual Symposium*, p. 16-17. Durham, NC.

Beauvois, M.H. (1992). Computer-assisted classroom discussion in the foreign language classroom: conversation in slow motion. *Foreign Language Annals, 25*, 5, p. 455-464.

Beauvois, M.H. et Eledge, J. (1996). Personality types and megabytes: student attitudes toward computer mediated communication (CMC) in the language classroom. *CALICO Journal, 13*, 2-3, p. 27-45.

Bender, R. (1992). *Computerized style checking: can it help teach ESL writing?* Présenté au colloque CALICO 92, Monterey, CA.

Berdahl, I. et Willetts, K. (1990). Steps in integrating video into the secondary foreign language curriculum. *IALL Journal of Language Learning Technologies, 23*, 1, p. 17-23.

Bettin, A. (1996). L'Internet – ressource pour l'enseignement des langues. *Bulletin de l'AQEFLS, 17*, 3-4, p. 104-117.

Betza, R.E. (1987). Online: computerized spelling checkers: freinds [sic] or foes? *Language Arts, 65*, 4, p. 438-443.

Beverly, J. (1996). Travels with a mouse – Italy on the Internet. *Tuttitalia, 13*, p. 20-26.

Bisaillon, J. (1991). *Enseigner une stratégie de révision de textes à des étudiants en langue seconde, faibles à l'écrit: un moyen d'améliorer les productions écrites*. Québec: CIRAL.

Bisaillon, J. (1995). Lire des textes à l'écran, un avantage pour l'apprentissage de la lecture? *Québec français, 99*, p. 106-108.

Bisaillon, J. (1996a). Les nouvelles technologies ont-elles leur place dans l'apprentissage/l'enseignement des langues aux adultes? *Bulletin de l'AQEFLS, 17*, 3-4, p. 118-130.

Bisaillon, J. (1996b). Quelques pistes à suivre pour ne pas se perdre sur l'autoroute électronique. *Québec français, 101*, p. 108-112.

Blake, R.J. (1992). Second-language reading on the computer. *ADFL Bulletin, 24*, 1, p. 17-22.

Bonk, C.J. et Reynolds, T. (1992). Early adolescent composing within a generative-evaluative computerized prompting framework. *Computers in Human Behavior, 8*, 1, p. 39-62.

Borchardt, F.L. et Johnson, E. (Dir.). (1995). *CALICO Resource guide for computing and language learning*. Durham, NC: Duke University.

Bourguignon, C. (1990). Éléments d'évaluation de l'environnement E.A.O. en classe de langue. *EPI, 60*, p. 143-149.

Bradin, C. (1997). *The dark side of the Web*. Présenté au colloque FLEAT III, Victoria (C.-B.).

Brammerts, H. (1996). Language learning in tandem using the Internet. *In* M. Warschauer (Dir.), *Telecollaboration in foreign language learning*, p. 121-130. Honolulu, HI: University of Hawaii.

Brasche, H.P. (1991). *The design of a computer-mediated reading tool for the enhancement of second language reading comprehension through the provision of on-line cues*. Thèse de doctorat non publiée. Université de Toronto, Toronto (Ontario).

Brett, P. (1995). Multimedia for listening comprehension: the design of a multimedia-based resource for developing listening skills. *System, 23*, 1, p. 77-85.

Brock, M.N. (1993). Three disk based text analysers and the ESL writer. *Journal of Second Language Writing, 2*, 1, p. 19-40.

Bueno, K.A. et Nelson, W.A. (1993). Collaborative second language learning with a contextualized computer environment. *Journal of Educational Multimedia and Hypermedia, 2*, 2, p. 177-208.

Bull, S. (1997). Promoting effective learning strategy use in CALL. *Computer Assisted Language Learning, 10*, 1, p. 3-39.

Burston, J. (1993). Exploiting available technology. *CALICO Journal, 11*, 1, p. 47-52.

Burston, J. et Fisher, R. (1996). A panel discussion on multimedia/hypermedia authoring systems; design and use. *In* F.L. Borchardt, C.L. Bradin, E. Johnson et L. Rhodes (Dir.), *Proceedings of the CALICO 96 Annual Symposium*, p. 27-65. Durham, NC.

Bush M.D. et Crotty, J. (1989). Interactive videodisc in language teaching. *In* W.F. Smith (Dir.), *Modern technology in foreign language education: applications and projects*, p. 75-95. Lincolnwood, IL: National Textbook Company.

Butler, J. (1990). Concordancing, teaching and error analysis: some applications and a case study. *System, 18*, 3, p. 342-349.

Camilleri, C. et Morelli, R. (1992). Plaidoyer pour la vidéo-correspondance. *Le français dans le monde, 253*, p. 66-68.

Caravolas, J.-A. (1984). *Le Gutenberg de la didactographie ou Coménius et l'enseignement des langues*. Montréal: Guérin.

Cardenas, K.H. (1990). *Beyond drill and filler: the computer/composition connection*. Présenté au Central States Conference on Language Teaching. ED332537.

Carver, C.A., Howard, R.A. et Lavelle, C.E. (1996). Enhancing student learning by incorporating learning styles into adaptative hypermedia. *In* P. Carlson et F. Makedon (Dir.), *Educational multimedia and hypermedia 1996 Proceedings of ED-Media 96*, p. 118-123. Boston, MA.

Catach, N., Gruaz, C. et Duprez, D. (1986). *L'orthographe française. Traité théorique et pratique*. Paris: Nathan.

Chang, K-Y.R. et Smith, W.M.F. (1991). Cooperative learning and CALL/IVD in beginning Spanish: an experiment. *Modern Language Journal, 75*, 2, p. 205-211.

Chanier, T. (1996). *Evaluation as part of a project life: the hypermedia CAMILLE project*. Non publié.

Chapelle, C. (1990). The discourse of computer-assisted language learning: toward a context of descriptive research. *TESOL Quarterly, 24*, 2, p. 199-225.

Chapelle, C. (1994). CALL activities: are they all the same? *System, 22*, 1, p. 33-45.

Chapelle, C., Jamieson, J. et Park, Y. (1996). Second language classroom research traditions: how does CALL fit? *In* M.C. Pennington (Dir.), *The power of CALL*, p. 33-53. Houston, TX: Athelstan.

Chun, D.M. (1994). Using computer networking to facilitate the acquisition of interactive competence. *System, 22*, 1, p. 17-31.

Chun, D.M. et Plass, J.L. (1995). Project Cyberbuch: a hypermedia approach to computer-assisted language learning. *Journal of Educational Multimedia and Hypermedia, 4*, 1, p. 95-116.

Chun, D.M. et Plass, J.L. (1996). Effects of multimedia annotations on vocabulary acquisition. *Modern Language Journal, 80*, 2, p. 183-198.

Cobb, T. et Horst, M. (1997). *The learner as lexicographer: user-friendly concordancing*. Présenté au colloque FLEAT III, Victoria (C.-B.).

Cobb, T. et Stevens, V. (1996). A principled consideration of computers and reading in a second language. *In* M.C. Pennington (Dir.), *The power of CALL*, p. 115-136. Houston, TX: Athelstan.

Cochran-Smith, M. (1991). Word processing and writing in elementary classrooms: a critical review of related literature. *Review of Educational Research, 61*, 1, p. 107-155.

Collins, J.L. (1989). Computerized text analysis and the teaching of writing. *In* G.E. Hawisher et C.L. Selfe (Dir.), *Critical perspectives on computers and composition instruction*, p. 30-43. New York: Teachers College Press.

Collis, B. et Davies, G. (Dir.). (1995). *Innovative adult learning with innovative technologies*. New York: Elsevier.

Compte, C. (1987). L'enseignement des langues étrangères et le vidéodisque. *In* J.A. Coleman (Dir.), *The interactive videodisc in language teaching*, p. 21-49. Pertshire: Lochee Publications.

Compte, C. (1993). *La vidéo en classe de langue*. Paris: Hachette.

Connell, S. (1996). Les nouveaux outils en langues: choix et risques. *Les langues modernes, 1*, p. 28-36.

Conseil des ministres de l'Éducation. (1985). *Software evaluation. Criteria for educational computer software evaluation*. Toronto (Ontario): Council of Ministers of Education.

Cooper, R., Lavery, M. et Rinvolucri, M. (1991). *Video*. Oxford: Oxford University Press.

Cornaire, C. (1991). *Le point sur... la lecture en didactique des langues*. Montréal: Centre éducatif et culturel.

Cornaire, C. (1998). *La compréhension orale*. Paris: Clé International.

Courchêne, R.J., Glidden, J.I., St. John, J. et Thérien, C. (Dir.). (1992). *Comprehension-based second language teaching/ L'enseignement des langues secondes axé sur la compréhension*. Ottawa (Ontario): Les Presses de l'Université d'Ottawa.

Crandall, L. (1997). Copyright and the learning center: issues and resources. *The IALL journal of language learning technologies, 30*, 1, p. 39-59.

Culver, L.C. (1991). *Improving reading speed and comprehension of ESL students with the computer*. ED335960.

Dalgish, G.M. (1991). Computer-assisted error analysis and courseware design: applications for ESL in the Swedish context. *CALICO Journal, 9*, 2, p. 39-56.

Dalton, B.M. (1991). *Writing and technology: the effect of a computer spelling checker versus peer editor on fourth-grade students' editing, spelling and writing performance (CAI).* Thèse de doctorat non publiée. Harvard University, Boston, MA.

Dalton, B.M., Winbury, N.E. et Morocco, C.C. (1990). "If you could just push a button": two fourth-grade boys with learning disabilities learn to use a computer spelling checker. *Journal of Special Education Technology, 10*, 4, p. 177-191.

Dam, L., Legenhausen, L. et Wolff, D. (1990). Text production in the foreign language classroom and the word processor. *System, 18*, 3, p. 325-334.

Danan, M. (1995). Reversed subtitling and dual coding theory: new directions for foreign language instruction. *In* B. Harley (Dir.), *Lexical issues in language learning*, p. 253-282. Ann Arbor, MI: John Benjamins.

Darst, D.H. (1991). Spanish video materials in the classroom. *Hispania, 74*, 4, p. 1087-1090.

Daud, N.-M. (1992). Issues in CALL implementation and its implications on teacher training. *CALICO Journal, 10*, 1, p. 69-78.

Davis, J.N., Lyman-Hager, M.A. et Hayden, S.B. (1992). Assessing user needs in early stages of program development: the case of foreign language reading. *CALICO Journal, 9*, 4, p. 21-27.

De Bot, C.L.J. (1980). The role of feedback and feedforward in the teaching of pronunciation. *System, 8*, 1, p. 35-45.

De Bot, K. (1983). Visual feedback of intonation 1: effectiveness and induced practice behavior. *Language and Speech, 26*, p. 331-350.

Delcloque, P. (1995). Pronunciation matters (!). *In* F.L. Borchardt (Dir.), *Proceedings of the CALICO 95 Annual Symposium*, p. 51-56. Durham, NC.

Demaizière, F. et Dubuisson, C. (1992). *De l'EAO aux NTF. Utiliser l'ordinateur pour la formation*. Paris: Ophrys.

De Montgomery, M.-P. (1984). Vidéodisque, ordinateur et enseignement des langues. *Les langues modernes, 1*, p. 45-58.

Desmarais, L. (1994). *Proposition d'une didactique de l'orthographe ayant recours au correcteur orthographique*. Québec: CIRAL.

Desmarais, L. (1996). L'évaluation de didacticiels – un modèle qualitatif. *In* T.S. Paribakht, H. Séguin, M.-C. Tréville et R. Williamson (Dir.), *L'expression orale et écrite en L2: recherche, enseignement, technologie*, p. 113-118. Ottawa (Ontario): Université d'Ottawa.

Desmarais, L., Duquette, L., Laurier, M. et Renié, D. (à paraître). Evaluating learning and interactions in a multimedia environment. *Computers and the Humanities*.

Dobrin, D.N. (1990). A new grammar checker. *Computers and the Humanities, 24*, 1-2, p. 67-80.

D'Odorico, L. et Zammuner, V.L. (1993). The influence of using word processor on children's story writing. *European Journal of Psychology of Education, 8*, 1, p. 51-64.

Dominguez, M.-F. (1993). Strategies for producing a videoletter in the foreign language classroom. *Mid-Atlantic Journal of Foreign Language Pedagogy, 1*, p. 109-148.

Dunkel, P. (1990). Implications of the CAI effectiveness research for limited English proficiency learners. *Computers in the Schools, 7*, 1-2, p. 31-52.

Dunkel, P. (1991). The effectiveness research on computer-assisted instruction and computer-assisted language learning. *In* P. Dunkel (Dir.), *Computer-assisted language learning and testing*, p. 5-36. Rowley, MA: Newbury House.

Duquette, L. (1993). *L'étude de l'apprentissage du vocabulaire en contexte par l'écoute d'un dialogue scénarisé en français langue seconde*. Québec: CIRAL.

D'Ydewalle, G. et Pavakanun, U. (1996). Le sous-titrage à la télévision facilite-t-il l'apprentissage des langues? *In* Y. Gambier (Dir.), *Les transferts linguistiques dans les médias audiovisuels*, p. 217-223. Paris: Presses universitaires du Septentrion.

Eastmond, N. et Elwell, C. (1994). *The evaluation of interactive videodiscs for foreign language learning: three journeys.* Présenté au Meeting of the Canadian Evaluation Society. ED377702.

Educational Software Evaluation Consortium. (1988). *The 1989 Educational Software Preview Guide*. ED307856.

Eliason, R.G. (1995). *The effect of selected word processing adjunct programs on the writing of high school students (spell checker, grammar checker)*. Thèse de doctorat non publiée. University of South Florida, Tampa, FL.

Elkabas, C. (1989). L'enseignement des langues assisté par ordinateur: nouvelle pédagogie? *La Revue canadienne des langues vivantes, 45*, 2, p. 258-270.

Ely, P. (1984). *Bring the lab back to life*. Oxford: Pergamon Press.

El Zaïm, A. (1996). Inforoutes, direction français langue seconde. *Québec français, 102*, p. 100-103.

Emerson, S.B. (1993). *Language behaviors and social strategies of English as second language and English as primary language preschool children during computer-assisted instruction experiences*. Thèse de doctorat non publiée. University of North Texas, Denton, TX.

Espinoza, S.F. (1993). *The effects of using a word processor containing grammar and spell checkers on the composition writing of sixth-graders (grammar checkers).* Thèse de doctorat non publiée. Texas Tech University, Lubbock, TX.

Esquivel, L. (1989). *Como agua para chocolate*. Mexico: Editorial Planeta Mexicana.

Faigley, L. (1992). *Fragments of rationality. Postmodernity and the subject of composition*. Pittsburgh, PA: University of Pittsburgh Press.

Ferraris, M., Caviglia. F. et Delgl'Innocenti, R. (1992). *Scrivere con Word Prof* (logiciel), Gênes: Consiglio Nazionale delle Ricerche, Istituto Tecnologie Didattiche.

Feyten, C.M. et VanDeventer, S.S. (1993). Software: what's the difference? *Language Quarterly, 31*, 1-2, p. 90-102.

Fidelman, C.G. (1992). *Enabling technologies as a force in curricular change*. ED350867.

Fidelman, C.G. (1996). A language professional's guide to the World Wide Web. *CALICO Journal, 13*, 2-3, p. 113-140.

Fletcher, W.H. (1990). Authentic interactive video for lower-level Spanish at the United States Naval Academy. *Hispania, 73*, 3, p. 859-865.

Flórez-Estrada, N.B. (1995). *Some effects of native-nonnative communication via computer e-mail interaction on the development of foreign language writing proficiency*. Thèse de doctorat non publiée. University of Pittsburgh, Pittsburgh, PA.

Flowerdew, J. (1996). Concordancing in language teaching. *In* M.C. Pennington (Dir.), *The power of CALL*, p. 97-113. Houston, TX: Athelstan.

Foelsche, O. (1992). *Annotext*. Hanover, NH: Panda Press.

Foelsche, O. (1996). The IALL foreign language software base. *In* F.L. Borchardt, C.L. Bradin, E. Johnson et L. Rhodes (Dir.), *Proceedings of the CALICO 96 Annual Symposium*, p. 113-121. Durham, NC.

Formation linguistique Canada. (1994). *Rapport d'évaluation de didacticiel. Calé en français*. Non publié.

Frizler, K. (1995). *The Internet as an education tool in ESOL writing instruction*. Mémoire de maîtrise non publié. San Francisco, CA: San Francisco State University.

Gale, L.E. (1989). Macario, Montevidisco, and Interactive Dígame: Developing interactive video for language instruction. *In* W.F. Smith (Dir.), *Modern technology in foreign language education: applications and projects*, p. 235-248. Lincolnwood, IL: National Textbook Company.

Garrett, N. (1991). Technology in the service of language learning: trends and issues. *Modern Language Journal, 75*, p. 74-101.

Garza, T.J. (1991). Evaluating the use of captioned video materials in advanced foreign language learning. *Foreign Language Annals, 24*, 3, p. 239-258.

Geddes, M. et Sturtridge, G. (1982). *Video in the language classroom.* Londres: Heinemann Educational.

Gerling, D.R. (1994). *Spanish-language ads and public service announcements in the foreign language classroom.* ED367144.

Ghaleb, M.L.N. (1993). *Computer networking in a university freshman ESL writing class: a descriptive study of the quantity and quality of writing in networking and traditional writing classes (Process writing).* Thèse de doctorat non publiée. The University of Texas at Austin, Austin, TX.

Giardina, M., Laurier, M. et Meunier, C. (1995). *Les multiples aspects de l'interactivité significative dans un environnement d'apprentissage multimédia.* Université de Montréal. Non publié.

Godfrey, I. (1990). Setting up a TVEI French course at sixth form level: an update. *Language Learning Journal, 1*, p. 26-27.

Godwin-Jones, R. (1996). Creating language learning materials for the World Wide Web. *In* M. Warschauer (Dir.), *Telecollaboration in foreign language learning*, p. 69-82. Honolulu, HI: University of Hawaii.

Goh, I.-S.-H. (1993). A low-cost speech teaching aid for teaching English to speakers of other languages. *System, 21*, 3, p. 349-357.

Gonzalez, A. (1990). *Video materials production and use in intensive language instruction: the experience of the University of South Carolina's Master's in International Business Program.* Présenté au Eastern Michigan University Conference on Languages and Communications for World Business and the Professions. ED334856.

Goodfellow, R. (1995). A review of the types of CALL programs for vocabulary instruction. *Computer Assisted Language Learning, 8*, 2-3, p. 205-226.

Greenia, G.D. (1992). Computers and teaching composition in a foreign language. *Foreign Language Annals, 25*, 1, p. 33-46.

Greenland, L.T. et Bartholome, L.W. (1987). The effect of the use of microcomputers on writing ability and attitude toward business communication classes. *Delta Pi Epsilon Journal, 29*, 3, p. 78-90.

Griffiths, D., Heppell, S., Millwood, R. et Mladenova, G. (1994). Translating software: what it means and what it costs for small cultures and large cultures. *Computers and Education, 22*, 1-2, p. 9-17.

Guir, R. (1996). Nouvelles compétences des formateurs et nouvelles technologies. *Éducation permanente, 127*, p. 61-72.

Hart, R.S. (1995). The Illinois PLATO foreign languages project. *CALICO Journal, 12*, 4, p. 15-37.

Hart, R.S. et Garrett, N. (1985). Foreign language teaching and the computer. *Foreign Language Annals, 18*, p. 59-62.

Healey, D. et Magoto, J. (1996). Some practical notes on teacher training. *CAELL Journal, 7*, 1/2, p. 7-13.

Hébert, D. (1991). *A study of the influence of reading a tapescript to help prepare and develop the acquisition of listening comprehension in English as a second language when using authentic video material with intermediate students at the CEGEP level.* Québec: CIRAL.

Heebner, A. (1990). *The effects of word processing on the productivity and quality of young children's writing*. Thèse de doctorat non publiée. Columbia University Teachers College, New York.

Helot, C. (1989). Using audio and the language laboratory. *In Ed. media technologies and language learning. Proceedings of an IRAAL seminar*. ED349792.

Herren, D. (1994). Faculty hypermedia authoring: now they want me to what? *In* CREAL, *Utilisation des nouvelles technologies en enseignement des langues*, p. 48-49. Ottawa (Ontario): Université d'Ottawa.

Herron, C. (1994). An investigation of the effectiveness of using an advance organizer to introduce video in the foreign language classroom. *Modern Language Journal, 78*, 2, p. 190-196.

Hess, H. (1993). *Multimedia supported instruction of poetry for ESL classes*. Mémoire de maîtrise non publié. Edmonton (Alberta): Université de l'Alberta.

Hiller, S., Rooney, E. et Jack, M. (1993). SPELL: An automated system for computer-aided pronunciation teaching. *Speech Communication, 13*, p. 463-473.

Hoffman, R. (1996). Computer networks: webs of communication for language teaching. *In* M.C. Pennington (Dir.), *The power of CALL*, p. 55-78. Houston, TX: Athelstan.

Holmes, M. (1997). *Approaches to marking electronic text*. Présenté au colloque FLEAT III, Victoria (C.-B.).

Honeyfield, J. (1989). A typology of exercises based on computer generated concordance material. *Guidelines, 11*, 1, p. 42-50.

Hsu, J.F., Chapelle, C.A. et Thompson, A.D. (1993). Exploratory learning environments: what are they and do students explore? *Journal of Educational Computing Research, 9*, 1, p. 1-15.

Hubbard, P.L. (1987). Language teaching approaches, the evaluation of CALL software, and design implications. *In* W.F. Smith (Dir.), *Modern media in foreign language education: theory and implementation*, p. 228-254. Lincolnwood, IL: National Textbook Company.

Hubbard, P.L. (1988). An integrated framework for CALL courseware evaluation. *CALICO Journal, 6*, 2, p. 51-72.

Hubbard, P.L. (1996). Elements of CALL methodology: development, evaluation, and implementation. *In* M.C. Pennington (Dir.), *The power of CALL*, p. 15-32. Houston, TX: Athelstan.

Hughes, T.F. (1993). *The effectiveness of multimedia technology in the acquisition of Spanish vocabulary.* Thèse de doctorat non publiée. University of Pennsylvania, Philadelphie, PA.

Hult, S., Kalaja, M., Lassila, O. et Lehtisalo, T. (1990). HyperReader - An integrative course in reading comprehension. *System, 18*, 2, p. 189-198.

Hunter, W.J. (1993). I never meta-analysis I didn't like (Technography Place). *Writing Notebook: Visions for Learning, 11*, 2, p. 28-29.

Huss, S., Lane, M. et Willetts, K. (1990). *Using computers with adult ESL literacy learners.* Office of Educational Research and Improvement. ED343462.

Hyland, K. (1990). Literacy for a new medium: word processing skills in EST. *System, 18*, 3, p. 335-342.

Imai, Y. et Edasawa, Y. (1997). *Writing summaries of documentary news programs in listening comprehension practice.* Présenté au colloque FLEAT III, Victoria (C.-B.).

James, E. (1976). The acquisition of prosodic features of speech using a speech visualizer. *IRAL, 14*, 3, p. 227-243.

James, E.F. et Sherk, M.W. (1993). Project IVY (IIVVI): a CAI system. *IRAL, 21*, 1, p. 54-60.

Jinkenson, L.A. (1994). *Computer spell checkers and collaborative peers: intellectual partners.* Thèse de doctorat non publiée. University of Michigan, Ann Arbor, MI.

Jinkerson, L. et Baggett, P. (1993). Spell checkers: aids in identifying and correcting spelling errors. *Journal of Computing in Childhood Education, 4*, 4, p. 291-306.

Johnston, J. et Milne, L. (1995). Scaffolding second language communicative discourse with teacher-controlled multimedia. *Foreign Language Annals, 1*, 28, 3, p. 315-329.

Jones, G. (1987). The Eurocentres videodisc. *In* J.A. Coleman (Dir.), *The interactive videodisc in language teaching*, p. 61-91. Pertshire: Lochee Publications.

Katchen, J.-E. (1992). *World service television: ELT resource for Asia.* Présenté au Meeting of the International Association of Teachers of English as a Foreign Language. ED 362564.

Kelly, J.M. (1994). *Improving spelling: an integrated reading and writing approach using computers.* Thèse de doctorat non publiée. Boston University, Boston, MA.

Kelly, L.G. (1969). *25 centuries of language teaching*. Rowley, MA: Newbury House.

Kern, R. (1996). Computer-mediated communication: using e-mail exchanges to explore personal histories in two cultures. *In* M. Warschauer (Dir.), *Telecollaboration in foreign language learning*, p. 105-120, Honolulu, HI: University of Hawaii.

Kesner-Bland, S., Noblitt, J.S., Armington, S. et Gay, G. (1990). The native lexical hypothesis: evidence from computer-assisted language learning. *Modern Language Journal, 74*, 4, p. 440-450.

Kiefer, K., Reid, S. et Smith, C.R. (1989). Style-analysis programs: teachers using the tools. *In* C.L. Selfe, D. Rodrigues et W.R. Oates (Dir.), *Computers in English and the language arts*, p. 213-225. Urbana, IL: National Council of Teachers of English.

Kitao, K. (1995). *The history of language laboratories – Origin and establishment.* ED381020

Knoerr, H. (1994). *Élaboration d'un didacticiel pour l'enseignement de l'intonation en français langue étrangère.* Québec: CIRAL.

Knussen, C., Tanner, G.R. et Kibby, M.R. (1991). An approach to the evaluation of hypermedia. *Computers and Education, 17*, 1, p. 13-24.

Koeppel, E.-H. (1992). Video in the foreign language classroom: using commercials. *In* R.-M. Terry (Dir.), *Making a world of difference. Dimension: Language '91*, p. 89-93. Valdosta, GA: Valdosta State University.

Krashen, S.D. et Terrell, T.D. (1983). *The natural approach: language acquisition in the classroom.* New York: Pergamon Press.

Kubota, A. et Ohtake, H. (1997). *Electronic dictionaries and EFL learning strategies of Japanese college students.* Présenté au colloque FLEAT III, Victoria (C.-B.).

Lancien, T. (1986). *Le document vidéo.* Paris: CLE International.

Lancien, T. (1996). *Le journal télévisé.* Paris: Didier/CREDIF.

Lansman, M., Smith, J.B. et Weber, I. (1993). Using the 'Writing Environment' to study writer's strategies. *Computers and composition, 10*, 2, p. 71-92.

Leffa, V.J. (1992). Making foreign language texts comprehensible for beginners: an experiment with an electronic glossary. *System, 20*, 1, p. 67-73.

Legendre, R. (1988). *Dictionnaire actuel de l'éducation.* Montréal: Larousse.

Legenhausen, L. et Wolff, D. (1990). CALL in use – Use of CALL: evaluating CALL software. *System, 18*, 1, p. 1-13.

Le-Ninan, C. (1992). Quels documents vidéo... pour les cours de français de spécialité. *Le français dans le monde, 251*, p. 59-61.

Li-Nim-Yu, K. (1990). *Writing with pen or computer? A study on ESL secondary school learners.* Présenté au Annual World Conference on Computers in Education. ED322720.

Liu, M. (1993). *The effect of hypermedia assisted instruction on second language learning through a semantic-network-based approach.* Présenté au Annual Conference of the Eastern Educational Research Association. ED355909.

Liu, M. et Reed, W.M. (1994). The relationship between the learning strategies and learning styles in a hypermedia environment. *Computers in Human Behavior, 10*, 4, p. 419-434.

Lonergan, J. (1984). *Video in language teaching*. Cambridge: Cambridge University Press.

Lunde, K.R. (1990). Using electronic mail as a medium for foreign language study and instruction. *CALICO Journal, 7*, 3, p. 68-78.

Luo, X. (1993). *A new approach to reading: a hypertext reading guide for Spanish students at the intermediate level: Jorge Luis Borges's 'El aleph'*. Thèse de doctorat non publiée. University of Syracuse, Syracuse, NY.

Lyman-Hager, M.-A. (1992). Squibs and comment: software evaluation. *Journal of Intensive English Studies, 6*, p. 101-105.

Lyman-Hager, M.-A. (1994). Video and interactive multimedia technologies in French for the 1990s. *The French Review, 68*, 2, p. 209-228.

Lyman-Hager, M.-A., Lomicka, L. et Bradley, T. (1997). Content with your content? Authoring and re-authoring cross-platform CD-ROM reader. *In* F.L. Borchardt, E. Johnson et L. Rhodes (Dir.), *Proceedings of the CALICO 97 Annual Symposium* (CD-ROM). Durham, NC.

Lyman-Hager, M.-A. et Davis, J.F. (1996). The case for computer-mediated reading: Une vie de Boy. *The French Review, 69*, 5, p. 775-790.

Maciejewski, A.A. et Leung, N.K. (1992). The Nihongo tutorial system: an intelligent tutoring system for technical Japanese language instruction. *CALICO Journal, 9*, 3, p. 5-25.

Malandain, J.-L. (1990). Visualisation et analyse des productions vocales. *Revue de phonétique appliquée, 95-97*, p. 267-270.

Mangenot, F. (1994). Ordinateur et communication. *Le français dans le monde*, 266, p. 65-69.

Mangenot, F. (1996). *Les aides logicielles à l'écriture*. Paris: Centre National de Documentation pédagogique.

Martinez-Lage, A. (1996). Using Guided Reading as a reading guide for Like water for chocolate. *In* F.L. Borchardt, C.L. Bradin, E. Johnson et L. Rhodes (Dir.), *Proceedings of the CALICO 96 Annual Symposium*, p. 180. Durham, NC.

Martinez-Lage, A. (1997). Hypermedia technology for teaching reading. *In* M.D. Bush et R.M. Terry (Dir.), *Technology-Enhanced Language Learning*, p. 121-163. Lincolnwood, IL: National Textbook Company.

Mataigne, B. (1987). *L'évaluation des didacticiels*. Québec: Les Publications du Québec.

McClurg, P.A. et Kasakow, N. (1989). Word processors, spelling checkers and drill and practice programs: effective tools for spelling instruction? *Journal of Educational Computing Research, 5*, 2, p. 187-198.

Meinhof, U.-H. (1990). Television news, the computer and foreign language learning. *In* A. Sarinee (Dir.), *Language teaching methodology for the nineties*. ED366198.

Meskill, C. (1991). Language learning strategies advice: a study on the effects of on-line messaging. *System, 19*, 2, p. 277-287.

Meskill, C. et Jiang, M. (1996). Multimedia and language learning: a study of features that support off-screen communication practice. *In* P. Carlson et F. Makedon (Dir.), *Educational multimedia and hypermedia 1996 Proceedings of ED-Media 96*, p. 465-469. Boston, MA.

Meyer, J.A. (1987). *The effects of electronic spelling checkers on the spelling achievement of selected students.* Thèse de doctorat non publiée. University of Oregon, Eugene, OR.

Micceri, T., Pritchard, W.H. et Barrett, A.J. (1989). Must computer courseware evaluation be totally subjective? *British Journal of Educational Technology, 20*, 2, p. 120-128.

Moisan, R. (1986). Le vidéodisque dans l'enseignement des langues: état présent des recherches. *Bulletin de L'ACLA, 8*, 2, p. 125-136.

Mole, D. et Langham, J. (1982). *Étude-pilote sur l'utilisation de la technologie du vidéodisque aux Archives publiques du Canada.* Ottawa (Ontario): Archives publiques du Canada.

Motterdam, G.J. (1990). Using a standard authoring package to teach effective reading skills. *System, 18*, 1, p. 15-21.

Murphy, B. (1996). Computer corpora and vocabulary study. *Language Learning Journal, 14*, p. 53-57.

Murray, J.H. (1990). Emerging genres of interactive videodiscs for language instruction. *In* P.C. Pastrikis *et al.* (Dir.), *Multimedia and language learning. Technology in higher education: current reflections*, p. 11-22. Chapel Hill, NC: North Carolina University.

Mydlarski, D. (1995). Integrating multimedia into the language curriculum. *In* CREAL, *Utilisation des nouvelles technologies en enseignement des langues*, p. 58-63. Ottawa (Ontario): Université d'Ottawa.

Mydlarski, D. et Paramskas, D. (1984). PROMPT: a template system for second language reading comprehension. *CALICO Journal, 1*, 5, p. 3-7.

Mydlarski, D. et Paramskas, D. (1985). A template system for second language aural comprehension. *CALICO Journal, 3*, 2, p. 8-12.

Nicholas, M.A. et Toporski, N. (1993). Developing 'The Critic's Corner': computer-assisted language learning for upper-level Russian students. *Foreign Language Annals, 26*, 4, p. 469-478.

Northwest Regional Educational Laboratory. (1982). *MicroSIFT evaluator's guide*. Portland, OR: Northwest Regional Educational Laboratory.

O'Donnell, W.A. (1990). *Videos as literature in EFL*. Présenté au Annual Meeting of the International Association of Teachers of English as a Foreign Language. ED321562.

Oliva, M. et Pollastrini, Y. (1995). Internet resources and second language acquisition: an evaluation of virtual immersion. *Foreign Language Annals, 28*, 4, p. 551-563.

Oliver, W. et Nelson, T. (1996). Un meurtre à Cinet (Un homicidio en Toluca): an e-mail whodunnit to develop writing competence in intermediate level language classes offered at a distance. *In* F.L. Borchardt, C.L. Bradin, E. Johnson et L. Rhodes (Dir.), *Proceedings of the CALICO 96 Annual Symposium*, p. 195-201. Durham, NC.

Otman, G. (1989). Éléments pour une grille d'analyse et d'évaluation critique de didacticiels de langue. *EPI, 54*, p. 147-165.

Otto, S.K. (1991). Training in instructional technologies: skills and methods. *Applied Language Learning, 2*, 2, p. 15-29.

Owen, T.R. (1993). *High teach: learning from the experiences of wired writers*. Mémoire de maîtrise non publié. Université Simon-Fraser, Vancouver (C.-B.).

Owston, R.D. (1987). *Software evaluation: a criterion-based approach*. Scarborough (Ontario): Prentice-Hall.

Oyono, F. (1956). *Une vie de Boy*. Paris: Julliard.

Pang, T. et Klassen, J. (1993). *A video venture into pragmatics: cashing in on language*. Présenté au International Conference on Language and Content. ED366220.

Paramskas, D. (1993). Computer-assisted language learning (CALL): increasingly integrated into an ever more electronic world. *La Revue canadienne des langues vivantes, 50*, 1, p. 124-141.

Paramskas, D. (1981). Technology and individualized teaching. *In* P. Erwin (Dir.), *Proceedings of the Second National Conference on Individualized Instruction in Foreign Languages*, p. 211-217. Columbus, OH.

Pavanini, P. (1993). Errori "programmati". *Italiano e oltre, 8*, p. 100-106.

Pennington, M.C. (1992). Beyond off-the-shelf computer remedies for student writers: alternatives to canned feedback. *System, 20*, 4, p. 423-437.

Pennington, M.C. (1993a). Computer-assisted writing on a principled basis: the case against computer-assisted text analysis for non-proficient writers. *Language and Education, 7*, 1, p. 43-59.

Pennington, M.C. (1993b). Exploring the potential of word processing for non-native writers. *Computers and the Humanities, 27*, 3, p. 149-163.

Pennington, M.C. et Esling, J.H. (1996). Computer-assisted development of spoken language skills. *In* M.C. Pennington (Dir.), *The power of CALL*, p. 153-189. Houston, TX: Athelstan.

Petersen, M.J. (1990). *An evaluation of VOXBOX, a computer-based voice-interactive language learning system for teaching English as a second language*. Thèse de doctorat non publiée. United States International University, San Diego, CA.

Phinney, M. (1996). Exploring the virtual world: computers in the second language writing classroom. *In* M.C. Pennington (Dir.), *The power of CALL*, p. 137-152. Houston, TX: Athelstan.

Phinney, M. (1994). *Process your thoughts – Writing with computers*. Boston, MA: Heinle & Heinle.

Piper, A. (1986). Conversation and the computer: a study of the conversational spin-off generated among learners of English as a foreign language working in groups. *System, 14*, p. 187-198.

Plowman, L. (1991). *An investigation of design issues for group use of interactive video*. Thèse de doctorat non publiée. Brighton Polytechnic, Brighton.

Poon, A. (1992). *Action research: a study on using TV news to improve listening proficiency*. Research report nº 14. Hong Kong, Hong Kong City Polytechnic.

Pujol-Ferran, M. (1993). *The design and evaluation of a hypercard application: ESL through the communicative approach (ESL software, CAI)*. Thèse de doctorat non publiée. Columbia University Teacher's College, New York.

Pusack, J. et Otto, S. (1995). Instructional technologies. *In* V. Galloway et C. G. Herron (Dir.), *Research within reach II*, p. 23-41. Valdosta, GA: Southern Conference on Language Teaching.

Pusack, J. et Otto, S. (1997). Taking control of multimedia. *In* M.D. Bush et R.M. Terry (Dir.), *Technology-Enhanced Language Learning*, p. 1-46. Lincolnwood, IL: National Textbook Company.

Raschio, R.A. (1991). Courseware for developing reading skills in a second language. *Hispania, 74*, 4, p. 1139-1143.

Reed, W.M. (1989). The effects of composing process software: an analysis of Writer's Helper. *Computers in Human Behavior, 6*, 1-2, p. 67-82.

Reed, W.M. (1992). The effects of computer-based writing tasks and mode of discourse on the performance and attitudes of writers of varying abilities. *Computers in Human Behavior, 8*, 1, p. 97-119.

Reed, W.M. (1996). Assessing the impact of computer-based writing instruction. *Journal of research on computing in education, 28*, 4, p. 418-437.

Richardson, C.P. et Scinicariello, S.G. (1989). Television technology in the foreign language classroom. *In* W.F. Smith (Dir.), *Modern technology in foreign language education: applications and projects*, p. 43-74. Lincolnwood, IL: National Textbook Company.

Rivers, W. (1990). Interaction and communication in the language class in the age of technology. *La Revue canadienne des langues vivantes, 46*, 2, p. 271-293.

Roblyer, M.D., Castine, W.H. et King, F.J. (Dir.). (1988). *Assessing the impact of computer-based instruction: a review of recent research.* New York: Haworth Press.

Rubin, J. (1990). Improving foreign language listening comprehension. *In* J.E. Alatis (Dir.), *Georgetown University Round Table on languages and linguistics 1990 Linguistics, language teaching and language acquisition. The interdependence of theory, practice and research*, p. 309-316. Washington, DC: Georgetown University Press.

Rubin, J. et Thompson, I. (1992). *Materials selection in strategy instruction for Russian listening comprehension.* ED349796.

Rypa, M.E. (1996). VILTS: the voice interactive language training system. *In* F.L. Borchardt, C.L. Bradin, E. Johnson et L. Rhodes (Dir.). *Proceedings of the Computer Assisted Language Instruction Consortium 1996 Annual Symposium "Distance Learning"*, p. 215-218. Durham, NC.

Sanaoui, R. et Lapkin, S. (1992). A case study of an FSL senior secondary course integrating computer networking. *La Revue canadienne des langues vivantes, 48*, 3, p. 525-552.

Sanchez, B. (1996). MOOving to a new frontier in language teaching. *In* M. Warschauer (Dir.), *Telecollaboration in foreign language learning*, p. 145-164. Honolulu, HI: University of Hawaii.

Schramm, R.M. (1989). *The effects of using word-processing in writing instruction: a meta-analysis*. Thèse de doctorat non publiée. University of Michigan, Ann Arbor, MI.

Schulz, R. (1993). What one has to know about methodology in computing. *CALICO Journal, 10*, 4, p. 39-56.

Scinicariello, S.G. (1997). Uniting teachers, learners, and machines: language laboratories and other choices. *In* M.D. Bush et R.M. Terry (Dir.), *Technology-Enhanced Language Learning*, p. 185-214. Lincolnwood, IL: National Textbook Company.

Scott, V.M. (1990). Task-oriented creative writing with Système-d. *CALICO Journal, 7*, 3, p. 58-67.

Selva, T. (1997). *Lexical comprehension and production in Alexia system*. Présentation au colloque Language Teaching and Language Technology, Groningen, Pays-Bas, 28-29 avril.

Shade, M. (1996). Resources for Spanish studies on the Internet. *Vida Hispánica, 13*, p. 3-8.

Shanahan, M.M. (1993). *Traditional method only versus traditional method combined with computer-assisted instruction in teaching proofreading and editing skills to students enrolled in business communications and reports*. Thèse de doctorat non publiée. University of Nebraska, Lincoln, NB.

Sharma, C.B. (1993). Teaching foreign literature through multimedia. *The Electronic Library, 11*, 1, p. 5-11.

Shaver, J.P. (1990). Reliability and validity of measures of attitudes toward writing and toward writing with the computer. *Written Communication, 7*, 3, p. 375-392.

Shires, N.P. (1993). Computer-mediated lists for foreign languages. *IALL Journal of language learning technologies, 26*, 2, p. 29-36.

Shiu, K.F. et Smaldino, S.E. (1993). A pilot study: comparing the use of computer-based instruction materials and audio-tape materials in practicing Chinese. *In Proceedings of selected research and development presentations at the Convention of the Association for Educational Communications and Technology*. ED363304.

Sinclair, J.M. et Coulthard, R.M. (1975). *Towards an analysis of discourse: the English used by teachers and pupils.* Londres: Oxford University Press.

Smith, K.L. (1990). Collaborative and interactive writing for increasing communication skills. *Hispania, 73*, 1, p. 77-87.

Sobkowiak, W. (1994). Beyond the year 2000: phonetic-access dictionaries (with word frequency information) in EFL. *System, 22*, 4, p. 509-523.

Spanos, T. (1992). Combining pedagogy and technology to improve composition skills. *Hispania, 75*, 1, p. 230-234.

Sprayberry, R.R. (1993). *Using multimedia to improve the aural proficiency of high school students of Spanish.* ED358735.

Stenson, N., Downing, B., Smith, J. et Smith, K. (1992). The effectiveness of computer-assisted pronunciation training. *CALICO Journal, 9*, 4, p. 5-20.

Stevens, V. (1991). *Strategies in solving computer-based cloze: is it reading?* Présenté au Annual Meeting of the Teachers of English to Speakers of Other Languages. ED335952.

St. John, J. (1996). Using computer-generated visual feedback in teaching English pronunciation. *In* T.S. Paribakht, H. Séguin, M.-C. Tréville et R. Williamson (Dir.), *L'expression orale et écrite en L2: recherche, enseignement, technologie*, p. 126-128. Ottawa (Ontario): Université d'Ottawa.

Suozzo, A. (1995). Dialogue and immediacy in cultural instruction: the E-Mail option. *The French Review, 69*, 1, p. 78-87.

Tanner, J. (1995). The role and job description of the learning Resource Center Director. *In* R.E. Lawrason (Dir.), *Administering the learning resource center: the IALL Management Manual.* p. 1-16. Saint Paul, MN: International Association for Learning Laboratories.

Teichman, M. et Poris, M. (1985). *Wordprocessing in the classroom: its effects on freshman writers*. ED 276062.

Tella, S. (1996). Foreign languages and modern technology: harmony or hell! *In* M. Warschauer (Dir.), *Telecollaboration in foreign language learning*, p. 3-18. Honolulu, HI: University of Hawaii.

Terrell, T.D. (1993). Comprehensible input for intermediate foreign language students via video. *IALL Journal of Language Learning Technologies, 26*, 2, p. 17-23.

Thiesmeyer, J. (1989). Should we do what we can? *In* G.E. Hawisher et C.L. Selfe (Dir.), *Critical perspectives on computers and composition instruction*, p. 75-93. New York: Teachers College Press.

Thuy, V.G. (1992). *High-tech for effective ESL/Family literacy instruction. Final report*. ED356683.

Torres Ortiz, P. (1993). *The use of computer-assisted instruction in the teaching of handwriting skills (Spanish-speaking)*. Thèse de doctorat non publiée. University of Massachusetts, Amherst, MA.

Trenchs, M. (1996). Writing strategies in a second language: three case studies of learners using electronic mail. *La Revue canadienne des langues vivantes, 52*, 3, p. 464-497.

Vande Berg, C.K. (1993). “Turning down the fire hose”: some techniques for using SCOLA broadcasts at the intermediate level. *The French Review, 66*, 5, p. 769-776.

Van Der Geest, T.M. (1991). *Tools for teaching writing as a process: design, development, implementation and evaluation of computer-assisted writing instruction*. Thèse de doctorat non publiée. University of Twente, Enschede, Pays-Bas.

Vanderplank, R. (1993). A very verbal medium: language learning through closed captions. *TESOL Journal, 3*, 1, p. 10-14.

Varricchio, A. (1992). *Electronic mail in a Spanish language business course*. Présenté au Annual Eastern Michigan University Conference on Languages and Communication for World Business and the Professions. ED347847.

Waltz, R.H. (1932). Some results of laboratory training. *Modern Language Journal, 16*, 2, p. 299-305.

Warschauer, M. (1996a). Comparing face-to-face and electronic discussion in the second language classroom. *CALICO Journal, 13*, 2-3, p. 7-26.

Warschauer, M. (1996b). Motivational aspects of using computers for writing and communication. *In* M. Warschauer (Dir.), *Telecollaboration in foreign language learning*, p. 29-46. Honolulu, HI: University of Hawaii.

Williams, N. (1993). Postwriting software and the classroom. *In* M. Monteith (Dir.), *Computers and Language*, p. 114-124. Oxford: Intellect.

Willis, T. et Skubis, R. (1994). Spell checks not foolproof. *Communication: Journalism Education Today, 28*, 1, p. 14-15.

Wresch, W. (1993). The effect of writing process software on student success: a research summary. *Journal of Computing in Higher Education, 5*, 1, p. 102-110.

Wyatt, D.H. (1987). Applying pedagogical principles to CALL courseware development. *In* W.F. Smith (Dir.), *Modern media in foreign language education: theory and implementation*, p. 85-98. Lincolnwood, IL: National Textbook Company.

Young, R. (1988). Computer-assisted language learning conversations: negotiating an outcome. *CALICO Journal, 5*, 3, p. 65-83.

Zellerman, M., Salomon, G., Globerson, T. et Givon, H. (1991). Enhancing writing-related metacognitions through a computerized writing partner. *American Educational Research Journal, 28*, 2, p. 373-391.

Remerciements

Faire une rétrospective de l'utilisation des technologies dans l'enseignement des langues nécessite des heures de recherche et de mise en forme pour permettre une vision cohérente. Toutefois, cette cohérence est également le résultat d'une collaboration avec d'autres personnes intéressées à ce domaine. Je tiens donc à remercier bien chaleureusement trois personnes qui ont accepté de relire le manuscrit et de le commenter: Dana Paramskas de l'Université Guelph, Alice Allain de l'Université du Nouveau-Brunswick et Antje Bettin de l'Université du Québec à Montréal. Je veux également souligner le soutien et l'encouragement de Claude Germain de l'Université du Québec à Montréal qui a assisté à toutes les étapes de la production de cet ouvrage, depuis l'idée initiale jusqu'à sa complétion.

Lise Desmarais

Annexe

Liste des distributeurs

Acquarello Italiano
Champs-Élysées Inc.
Suite 205
2000 Glen Echo Rd.
Nashville, TN 31215
Tél.: 1-615-383-8534
Téléc.: 1-615-297-3138
http://www.champs-elysees.com/

À la recherche d'un emploi
CLE International
27, rue de la Glacière
75013 Paris
Tél.: 33 1 45 87 44 23
Téléc.: 33 1 45 87 44 10
ou
DICOROBERT inc.
551, boul. Lebeau
Saint-Laurent (Québec)
Tél.: 514-745-0510
ou 1 800 363-0581
Téléc.: 514-745-3406

À la rencontre de Philippe
Yale University Press
P.O. Box 209040
New Haven, CT 06520
Tél.: 203-432-0912
ou 1 800 987-7323
Téléc.: 203-432-2394
specproj@yale.edu

À l'aventure
John Wiley & Sons Canada
22 Worcester Road
Etobicoke, ON
M9W 1L1
Tél.: 1 800 567-4797
Téléc.: 1 800 565-6802
canada@jwiley.com

Al-Mumtaaz
Federal Language Training
Laboratory
801 N. Randolph St. Suite 201
Arlington, VA 22203
Tél.: 703-525-4473-19
Téléc.: 703-525-5186

American Accent Program
EduCorp
7434 Trade St.
San Diego CA 92121-2410
Tél.: 1 800 843-9497
Téléc.: 619-536-2445
webmaster@educorp.com

An introduction to a British Company
Paul Brett
School of Languages and European Studies
University of Wolverhampton
Stafford Street
Wolverhampton, UK
WV1 1SB
Tél.: 44 (0) 1902 322671
Téléc.: 44 (0) 1902 322739

Annotext
Otmar Foelsche
Darmouth College
6191 Bartlett Hall
Hanover, NH 03755-3530
Tél.: 603-646-2624
Téléc.: 603-646-2712
otmar@darmouth.edu
ou
Panda Software
P.O. Box 984
Hanover, NH 03755

Autolire
Collins Educational
Harper Collins Pub.
796, Edgewood Road
North Vancouver, Bc
V7R 1Y4
Tél.: 604-984-8077

Bueno, bonito y barato
PICS (The Project for International Communication Studies)
The University of IOWA
270 International Center
Iowa City, IA 52242-1802
Tél.: 1 800 373-PICS
Téléc.: 319-335-0280
http://www.uiowa.edu/~pics/
pics@uiowa.edu

Calé en français
Distribution Calé enr.
a/s C. Villeneuve
69, rue Louis-Saint-Laurent
Aylmer (Québec)
J9H 5K9
Tél.: 819-684-1787

CartSuite/VoiceCart
Thorvin Electronics Inc.
a/s Wilf Langevin
2861 Sherwood Heights Dr.
Oakville, ON
L6J 7K1
Tél.: 1 800 323-6634
Téléc.: 905-829-4196
thorvin@inforamp.net

CD-Actualités
CEDROM-SNI
825, avenue Querbes, bureau 200
Outremont (Québec)
H2V 3X1
Tél.: 514-278-6060
ou 1 800 563-5665
Téléc.: 514-278-5415
webmaster@cedrom-sni.qc.ca

Champs-Élysées
Champs-Élysées Inc.
Suite 205
2000 Glen Echo Rd.
Nashville, TN 31215
Tél.: 615-383-8534
Téléc.: 615-297-3138
http://www.champs-elysees.com/

Chinese Character Tutor
Zheng-Sheng Zhang
Department of Linguistics of Oriental Languages
San Diego State University
San Diego, CA 92182
Tél.: 619-594-1912
Téléc.: 619-594-4877
zzhang@mail.sdsu.edu
ou
World of Reading
P.O. Box 13092
Atlanta, GA 30324-0092
Tél.: 404-233-4042
ou 1 800 729-3703
Téléc.: 404-237-5511
polyglot@wor.com
http://www.wor.com

Ciberteca
St. Martin's Press
345 Park Avenue South
New York, NY 10010
Tél.: 212-726-0200
ou 1 800 470-4767
Téléc.: 212-686-8707
bhemmer@smpcollege.com
http://www.smpcollege.com/modlangs

ClearText
Mary Ann Lyman-Hager
Department of French
Penn State University
316 S. Burrowes Bldg.
University Park, PA 16802
Tél.: 814-863-4388
Téléc.: 814-867-8186
mail1@psuvm.psu.edu

Cloze Encounters
LingoFun
615 Brook Run Drive
P.O. Box 486
Westerville, OH 43081
Tél.: 1 800 745-8258
Téléc.: 614-882-2590
lingofun@aol.com

Computerized Speech Lab
Kay Elemetrics Corp.
2 Bridge Water Lane
Lincoln Park, NJ 07035-1488
Tél.: 1 800 289-5297
Téléc.: 201-628-6363
sales@kayelem.mhs.compuserve.com

CorrecText
Inso Corporation
31 St. James Av.
Boston, MA 02116-4101
Tél.: 1 800 733-5799
Téléc.: 617-753-6666
webmaster@inso.com

CyberBuch
St. Martin's Press
345 Park Avenue South
New York, NY 10010
Tél.: 212-726-0200
ou 1 800 470-4767
Téléc.: 212-686-8707
bhemmer@smpcollege.com
http://www.smpcollege.com/modlangs

Daedalus Integrated Writing Environment
1106 Clayton Lane 280 W.
Austin, TX 78723
Tél.: 1 800 879-2144

Dans un quartier de Paris
(Dans le quartier Saint-Gervais)
Yale University Press
P.O. Box 209040
New Haven, CT 06520
Tél.: 203-432-0912
ou 1 800 987-7323
Téléc.: 203-432-2394
specproj@yale.edu University Press

Dasher
PICS
The University of IOWA
270 International Center
Iowa City, IA 52242-1802
Tél.: 1 800 373-PICS
Téléc.: 319-335-0280
http://www.uiowa.edu/~pics/
pics@uiowa.edu

Destinos
(version anglaise-espagnole)
Magic Lantern Communication Limited
38775 Pacific Road
Oakville, ON
L6L 6M4
Tél.: 416-827-1155

Destinos
(version française-espagnole)
Télé-Québec
a/s Hélène Roussel
poste 4004
1000, rue Fullum
Montréal (Québec)
H2K 3L7
Tél.: 514-521-2424
Téléc.: 514-525-5511

Diccionario de la Real Academia
Celesa
C/.Justiniano 9
Madrid 28004
Espagne
Tél.: 00 34 1 410 17 36
Téléc.: 00 34 1 319 53 08

Dígame
Technology Transfer
c/o L. Gale
A-268 ASB
Brigham Young University
Provo, UT 84602
Tél.: 801-378-6266

DocuComp
Advanced Software Inc.
Distributeur:
Cherwell Scientific Publishers Lim.
The Magdalen Center
Oxford Science Park
Oxford, Angleterre

Easy Kana
SoftKey International
1 Athenaeum St.
Cambridge, MA 02142
Tél.: 1 800 227-5609
Téléc.: 617-494-5898
support@softkey.com

Echos
Marikka Elizabeth Rypa
SRI International Speech Technology and Research Laboratory
Menlo Park, CA 94025
marikka@speech.sri.com

ELIZA (version en allemand)
Ruth Sanders
Department of German
Miami University
Oxford, OH 45056
Tél.: 513-529-2526
Téléc.: 513-529-3841
rsanders@miamiu.muohio.edu

Encyclopedia Multimedia Durvan
Links Lazos
170-23 83rd Ave.
Jamaica Hills, NY 11432
Tél.: 718-291-9891
Téléc.: 718-291-9830

Éxito
Federal Language Training Laboratory
801 N. Randolph St. Suite 201
Arlington, VA 22203
Tél.: 703-525-4473-19
Téléc.: 703-525-5186

GIFT - French Grammar at Your Own Pace
Groupe Communication Canada – Édition
Ottawa, ON
K1A 0S9
Tél.: 819-956-4802
Téléc.: 819-994-1498
edition@ccg-gcc.ca
http://www.ccg-gcc.ca

French in Action
Yale University Press
P.O. Box 209040
New Haven, CT 06520
Tél.: 203-432-0912
ou 1 800 987-7323
Téléc.: 203-432-2394
specproj@yale.edu

French Reading Lab 1: 3 stories by Maupassant
The Hyperglot Software Company
P.O. Box 10746
Knoxville, TN 37939-0746
Tél.: 1 800 726-5087
Téléc.: 615-588-6569

Gammes d'écriture
Centre National de Documentation pédagogique
29, rue d'Ulm
75000 Paris
Tél.: 01 46 34 90 00
http://www.cndp.cr

Gap Master
Wida Software
2 Nicholas Gardens
Londres, Angleterre
Tél.: 44 181 567 6941
Téléc.: 44 181 849 6534
ou
World of Reading
P.O. Box 13092
Atlanta, GA 30324-0092
Tél.: 404-233-4042
ou 1 800 729-3703
Téléc.: 404-237-5511
polyglot@wor.com
http://www.wor.com

Guided Reading
David Herren
The Language Schools
Middlebury College
Middlebury, VT 05753
Tél.: 802-388-3711 poste 5746
herren@flannet.middlebury.edu

Hugo Plus
Logidisque
C.P. 10, succ. D
Montréal (Québec)
H3K 2E4
Tél.: 513-933-2225
Téléc.: 514-933-2182
http://www.logique.com

HyperReader
Ntergaid
60 Commerce Park
Milford, CT 06460
Tél.: 203-783-1280
Téléc.: 203-882-0850
sales@ntergaid.com

In the French Body
In the German Body
Carolyn Fidelman
91 Baldwin St.
Charlestown, MA 02129-1423
Tél.: 617-241-9610
Téléc.: 617-241-5064
cgf@agoralang.com

INTOLANG
3CE
25, desserte de la Butte-Creuse
91000 Evry
France
Tél.: 1 33 60 79 40 77
Téléc.: 1 33 60 77 15 34

InVENNtion
World of Reading
P.O. Box 13092
Atlanta, GA 30324-0092
Tél.: 404-233-4042
ou 1 800 729-3703
Téléc.: 404-237-5511
polyglot@wor.com
http://www.wor.com

JIEJING
Dr. Eric Chappell
Faculty of Education
Griffith University
Nathan, Qld. 4111
Australie
Tél.: 07 875 5861
Téléc.: 07 875 5910
e.chappell@edn.gu.edu.au

KanjiCity
David Ashworth,
Associate Professor
Department of East Asian
Languages and Literatures
University of Hawaii at Manoa
Moore 386, 1890 East-West Rd
Honolulu, HI 96822
Tél.: 808-956-6233
Téléc.: 808-956-2078
ashworth@hawaii.edu

Kay Elemetrics Sona-Match
Kay Elemetrics Visi-Pitch
Kay Elemetrics Corp.
2 Bridge Water Lane
Lincoln Park, NJ 07035-1488
Tél.: 1 800 289-5297
Téléc.: 201-628-6363
sales@kayelem.mhs.compuserve.com

Kirillitsa: a Russian alphabet tutorial
Curt Ford
1100 Box DE-12
Chicago, IL 60615
kurtik@aol.com

L'acte de vente
CLE International
27, rue de la Glacière
75013 Paris
Tél.: 33 1 45 87 44 23
Téléc.: 33 1 45 87 44 10
ou
DICOROBERT inc.
551, boul. Lebeau
Saint-Laurent (Québec)
Tél.: 514-745-0510
ou 1 800 363-0581
Téléc.: 514-745-3406

Le Correcteur 101
Machina Sapiens
3535, ch. Queen Mary, bureau 420
Montréal (Québec)
H3V 1H8
Tél.: 514-733-1095
Téléc.: 514-733-2774
informations@machina.sapiens.gc.ca

L'histoire au jour le jour
CEDROM-SNI
825, avenue Querbes, bureau 200
Outremont (Québec)
H2V 3X1
Tél.: 514-278-6060
ou 1 800 563-5665
Téléc.: 514-278-5415
webmaster@cedrom-sni.qc.ca

Libra
Michael Farris
Division of Media Services
Southwest Texas State University
601 University Drive
San Marcos, TX 78666-4616
Tél.: 512-245-2319
Téléc.: 512-245-3128
rf02@academia.swt.edu

Macario
Technology Transfer
a/s L. Gale
A-268 ASB
Brigham Young University
Provo, UT 84602
Tél.: 801-378-6266

MacLang/SuperMacLang
Otmar Foelsche
Darmouth College
6191 Bartlett Hall
Hanover, NH 03755-3530
Tél.: 603-646-2624
Téléc.: 603-646-2712
otmar@darmouth.edu

Matchmaster
Wida Software
2 Nicholas Gardens
Londres, Angleterre
Tél.: 44 181 567 6941
Téléc.: 44 181 849 6534
ou
World of Reading
P.O. Box 13092
Atlanta, GA 30324-0092
Tél.: 404-233-4042
ou 1 800 729-3703
Téléc.: 404-237-5511
polyglot@wor.com
http://www.wor.com

MaxThink
44 Rincon Road
Kensington, CA 94707
Tél.: 415-540-5508

Mexico Vivo
(Vida y voces Mexico Vivo)
Heinle & Heinle
20 Park Plaza
Boston, MA 02116
Tél.: 617-451-1940
ou 1 800 237-0053
Téléc.: 617-426-4379
reply@heinle.com

Montevidisco
Technology Transfer
A-268 ASB
Brigham Young University
Provo, UT 84602
Tél.: 801-378-6266

Native English
Qian Hu
Inso Corporation
31 St. James Av.
Boston, MA 02116-4101
Tél.: 1 800 733-5799
Téléc.: 617-753-6666
webmaster@inso.com

Nicolas
Cambridge University
Dept. of Education
Cambridge, Angleterre

Nihongo Tutorial System
EduCorp
7434 Trade St.
San Diego CA 92121-2410
Tél.: 1 800 843-9497
Téléc.: 619-536-2445
webmaster@educorp.com

No recuerdo
Massachusetts Institute
of Technology
Technology Transfer
Licensing Office
Massachusetts Institute of
Technology
28 Carleton St.,
Room E32-300
Cambridge, MA 02142-1324
Tél.: 617-253-6966
Téléc.: 617-258-6790
tlo@mit.edu

ORTHO+
Institut canadien du service extérieur
Formation linguistique Canada
Lise Desmarais
15, rue Bisson
Hull (Québec)
J8Y 5M2
Tél.: 613-994-7155
Téléc.: 613-953-3632
lisian@magi.com

Oxford English Dictionary
CEDROM-SNI
825, avenue Querbes, bureau 200
Outremont (Québec)
H2V 3X1
Tél.: 514-278-6060
ou 1 800 563-5665
Téléc.: 514-278-5415
webmaster@cedrom-sni.qc.ca

PICS
The University of IOWA
270 International Center
Iowa City, IA 52242-1802
Tél.: 1 800 373-PICS
Téléc.: 319-335-0280
http://www.uiowa.edu/~pics/
pics@uiowa.edu

Power Japanese
World of Reading
P.O. Box 13092
Atlanta, GA 30324-0092
Tél.: 404-233-4042
ou 1 800 729-3703
Téléc.: 404-237-5511
polyglot@wor.com
http://www.wor.com

Pronunciation Plus
Pronunciation Tutor
SoftKey International
1 Athenaeum St.
Cambridge, MA 02142
Tél.: 1 800 227-5609
Téléc.: 617-494-5898
support@softkey.com

Puerta del Sol
Champs-Élysées Inc.
Suite 205
2000 Glen Echo Rd.
Nashville, TN 31215
Tél.: 615-383-8534
Téléc.: 615-297-3138
http://www.champs-elysees.com/

Qtkanji – KanjiQuiz
Saeko Komori
Chubu University
komori@clc.hyper.chubu.ac.jp

Quinze minutes
PICS
The University of IOWA
270 International Center
Iowa City, IA 52242-1802
Tél.: 1 800 373-PICS
Téléc.: 319-335-0280
http://www.uiowa.edu/~pics/
pics@uiowa.edu

Readware
Glen W. Probst
Brigham Young University
2113 JKHB
Provo, UT 84602
Tél.: 801-378-2691
Téléc.: 801-378-4649
probstg@yvax.byu.edu

Recuerdos de Madrid
D.C. Heath
125 Spring St.
Lexington, MA 02173
Tél.: 617-860-1638
Téléc.: 617-860-1587

Rhubarb
Wida Software
2 Nicholas Gardens
Londres, Angleterre
Tél.: 44 181 567 6941
Téléc.: 44 181 849 6534
ou
World of Reading
P.O. Box 13092
Atlanta, GA 30324-0092
Tél.: 404-233-4042
ou 1 800 729-3703
Téléc.: 404-237-5511
polyglot@wor.com
http://www.wor.com

Le Robert électronique
CEDROM-SNI
825, avenue Querbes, bureau 200
Outremont (Québec)
H2V 3X1
Tél.: 514-278-6060
ou 1 800 563-5665
Téléc.: 514-278-5415
webmaster@cedrom-sni.qc.ca

Rosetta Stone
Fairfield Language Technologies
122 South Main Street
Harrisonburg, VA 22801
Tél.: 540-432-6166
ou 1 800 788-0822
Téléc.: 540-432-0953
http://www.trstone.com
info@trstone.com

Russian Dynamic Hand
Walter Vladimir Tuman
Thunderbird
American Graduate School of
International Management
Russian Program
15249 North 59th Avenue
Glendale, AZ 85306
Tél.: 602-978-7287
Téléc.: 602-439-1435
tumanw@mhs.t-bird.Edu

SCOLA (Satellite Communications for Learning Worldwide)
P.O. Box 619
McClelland, IA 51548-0619
Tél.: 712-566-2202
Téléc.: 712-566-2502
scola@scola.org
http://bluejay.creighton.edu/~scola

Signalize
Carolyn Fidelman
91 Baldwin St.
Charlestown, MA 02129-1423
Tél.: 617-241-9610
Téléc.: 617-241-5064
cgf@agoralang.com

SoftRead
Softec International
P.O. Box 184
Orem, UT 84059-0184
Tél.: 801-235-1911
softec@itsnet.com

Speech Viewer
IBM Direct
PC Software Dept.
1 Culver Road
Dayton, NJ 08810
Tél.: 1 800 426-2468
Téléc.: 404-238-4806

Storyboard
Wida Software
2 Nicholas Gardens
Londres, Angleterre
Tél.: 44 181 567 6941
Téléc.: 44 181 849 6534
ou
World of Reading
P.O. Box 13092
Atlanta, GA 30324-0092
Tél.: 404-233-4042
ou 1 800 729-3703
Téléc.: 404-237-5511
polyglot@wor.com
http://www.wor.com

Super Cloze
CALL-IS/TESOL
Sultan Qaboos University
P.O. Box 32493
Al-Khad
Sultanate of Oman

Surf's Up
Audio-Forum
Jeffrey Norton Publishers
96 Broad Street
Guilford, CT 06437
Tél.: 203-453-9794
ou 1 800 243-1234
Téléc.: 203-453-9774
74537.550@compuserve.com
http://mickey.la.psu.edu/lang3/lmv1/wkbk.htm

Système-d
Heinle & Heinle
20 Park Plaza
Boston, MA 02116
Tél.: 617-451-1940
Téléc.: 617-426-4379
reply@heinle.com

The Observer
David Ashworth,
Associate Professor
Department of East Asian Languages and Literatures
University of Hawaii at Manoa
Moore 386, 1890 East-West Rd
Honolulu, HI 96822
Tél.: 808-956-6233
Téléc.: 808-956-2078
ashworth@hawaii.edu

The Rhythm of French
Lee Silverthorn
Salix Corporation
5723 N. 33rd Pl.
Scottsdale, AZ 85253
Tél.: 602-956-7411
Téléc.: 602-956-7411
A108L@amug.org

Transparent Language
(dans diverses langues)
22 Proctor Hill Road
Hollis, NH 03049
Tél.: 603-465-2230, poste 335
Téléc.: 603-465-2779
admin@transparent.com

Triple Play (dans diverses langues)
Syracuse Language Systems
5790 Widewaters Parkway
Syracuse, NY 13214
Tél.: 315-449-4500
ou 1 800 SYR-LANG
Téléc.: 315-449-4585
http://www.syrlang.com
customerservice@syrlang.com
ou
World of Reading
P.O. Box 13092
Atlanta, GA 30324-0092
Tél.: 404-233-4042
ou 1 800 729-3703
Téléc.: 404-237-5511
polyglot@wor.com
http://www.wor.com

Une vie de Boy
Mary Ann Lyman-Hager
Department of French
Penn State University
316 S. Burrowes Bldg.
University Park, PA 16802
Tél.: 814-863-4388
Téléc.: 814-867-8186
mail1@psuvm.psu.edu

Versatext
Novasoft/ICD Corporation
323 North Freedom Blvd.
Provo, UT 84601
Tél.: 801-373-3233
Téléc.: 801-373-1933

Vi-Conte
Donna Mydlarski
3D Courseware
1807 Bay Shore Road S.W.
Calgary, AB
T2V 3M2
Tél.: 403-281-1911
Téléc.: 403-281-2011
mydlarsk@acs.ucalgary.ca

Video Voice
Micro Video Corp.
P.O. Box 7357
Ann Arbor, MI 48107
Tél.: 1 800 537-2182
Téléc.: 313-996-3838
webmaster@videovoice.com

Vocapuces
Wilfried Decoo
Didascalia
Université d'Anvers
Universiteitsplein 1
B-2610 Wilrijk
Belgique
Tél.: 32 3 820 29 69
Téléc.: 32 3 820 29 86

VOXBOX
26081 Merit Circle #117
Laguna Hills, CA 92653
Tél.: 714-348-3200
Téléc.: 714-348-8665
info@voxel.com

WinCALIS
Duke University Humanities
015 Language Center
P.O. Box 90269
Durham, NC 27708-0269
Tél.: 919-660-3193
Téléc.: 919-660-3191

Wordnet
Pamela Wakefield
Department of Psychology
Green Hall
Princeton University
Princeton, NJ 08544-1010

Writer's Helper
Conduit
The University of Iowa
Oakdale Campus
Iowa City, IA 52242
Tél.: 1 800 365-9774

Zysomis
CEDROM-SNI
825, avenue Querbes, bureau 200
Outremont (Québec)
H2V 3X1
Tél.: 514-278-6060
ou 1 800 563-5665
Téléc.: 514-278-5415
webmaster@cedrom-sni.qc.ca

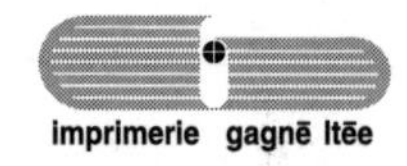

IMPRIMÉ AU CANADA